澳門昔日圖書館

Antigas Bibliotecas
de Macau

澳門知識叢書

澳門昔日圖書館

楊開荊

三聯書店（香港）有限公司
澳門基金會

叢書整體設計	鍾文君	
責任編輯	王婉珠　龍　田	
封面設計	道　轍	

叢 書 名	澳門知識叢書
書 　 名	澳門昔日圖書館
作 　 者	楊開荊
聯合出版	三聯書店（香港）有限公司
	香港北角英皇道 499 號北角工業大廈 20 樓
	澳門基金會
	澳門新馬路 61 - 75 號永光廣場 7 - 9 樓
香港發行	香港聯合書刊物流有限公司
	香港新界荃灣德士古道 220-248 號 16 樓
版 　 次	2021 年 12 月香港第一版第一次印刷
規 　 格	特 32 開（120 mm × 203 mm）144 面
國際書號	ISBN 978-962-04-4903-1

總序

　　對許多遊客來説，澳門很小，大半天時間可以走遍方圓不到三十平方公里的土地；對本地居民而言，澳門很大，住了幾十年也未能充分了解城市的歷史文化。其實，無論是匆匆而來、匆匆而去的旅客，還是"只緣身在此山中"的居民，要真正體會一個城市的風情、領略一個城市的神韻、捉摸一個城市的靈魂，都不是一件容易的事情。

　　澳門更是一個難以讀懂讀透的城市。彈丸之地，在相當長的時期裡是西學東傳、東學西漸的重要橋樑；方寸之土，從明朝中葉起吸引了無數飽學之士從中原和歐美遠道而來，流連忘返，甚至終老；蕞爾之地，一度是遠東最重要的貿易港口，"廣州諸舶口，最是澳門雄"，"十字門中擁異貨，蓮花座裡堆奇珍"；偏遠小城，也一直敞開胸懷，接納了來自天南海北的眾多移民，"華洋雜處無貴賤，有財無德亦敬恭"。鴉片戰爭後，歸於沉寂，成為世外桃源，默默無聞；近年來，由於快速的發展，"沒有什麼大不了的事"的澳門又再度引起世人的關注。

這樣一個城市，中西並存，繁雜多樣，歷史悠久，積澱深厚，本來就不容易閱讀和理解。更令人沮喪的是，眾多檔案文獻中，偏偏缺乏通俗易懂的讀本。近十多年雖有不少優秀論文專著面世，但多為學術性研究，而且相當部份亦非澳門本地作者所撰，一般讀者難以親近。

有感於此，澳門基金會在 2003 年 "非典" 時期動員組織澳門居民 "半天遊"（覽名勝古跡）之際，便有組織編寫一套本土歷史文化叢書之構思；2004年特區政府成立五周年慶祝活動中，又舊事重提，惜皆未能成事。兩年前，在一批有志於推動鄉土歷史文化教育工作者的大力協助下，"澳門知識叢書" 終於初定框架大綱並公開徵稿，得到眾多本土作者之熱烈響應，踴躍投稿，令人鼓舞。

出版之際，我們衷心感謝澳門歷史教育學會林發欽會長之辛勞，感謝各位作者的努力，感謝徵稿評委澳門中華教育會副會長劉羨冰女士、澳門大學教育學院單文經院長、澳門筆會副理事長湯梅笑女士、澳門歷史學會理事長陳樹榮先生和澳門理工學院公共行政高等學校婁勝華副教授以及特邀編輯劉森先生所付出的心血和寶貴時間。在組稿過程中，適逢香港聯合出版集團趙斌董事長訪澳，知悉他希望尋找澳門題材出版，乃一拍即合，成此聯合出版之舉。

　　澳門，猶如一艘在歷史長河中飄浮搖擺的小船，今天終於行駛至一個安全的港灣，"明珠海上傳星氣，白玉河邊看月光"；我們也有幸生活在"月出濠開鏡，清光一海天"的盛世，有機會去梳理這艘小船走過的航道和留下的足跡。更令人欣慰的是，"叢書"的各位作者以滿腔的熱情、滿懷的愛心去描寫自己家園的一草一木、一磚一瓦，使得吾土吾鄉更具歷史文化之厚重，使得城市文脈更加有血有肉，使得風物人情更加可親可敬，使得樸實無華的澳門更加動感美麗。他們以實際行動告訴世人，"不同而和，和而不同"的澳門無愧於世界文化遺產之美譽。有這麼一批熱愛家園、熱愛文化之士的默默耕耘，我們也可以自豪地宣示，澳門文化將薪火相傳，生生不息；歷史名城會永葆青春，充滿活力。

吳志良

二○○九年三月七日

目錄

導言

　　澳門，昔日香山縣的一個小漁村，擁有優良的中華傳統，向來以開放、包容及文化自信的人文基因見稱。而其圖書館事業起步絕不落後於世界發達國家和地區，且早在這裡播下了文明的種子。1594 年，隨著西方傳教士東來的腳步，澳門創設了遠東第一所西式學院——聖保祿學院，澳門首家圖書館便在此設立。誠然，當時的圖書館只是為傳教士服務，一如世界各地，使用權是貴族的象徵。從彼時至今，已有四百多年的歷史，在這相對悠長的歲月，澳門的圖書館及文獻資源形成了相當的特色，並匯聚東西方文化。

　　圖書館作為一個地區文化的基石，與社會，乃至個人皆息息相關，它更標誌著知識自由和資訊自由意識的啟動。如果說普及教育是社會脫離愚昧的平台，那麼圖書館就是將這平台擴大的催化劑，更是人類步向文明的台階，其超脫之處是以無償的形式為社會提供服務。

　　我們熟悉的近代思想家鄭觀應先生於清光緒年間在澳門編撰的皇皇巨著《盛世危言》，被視為近代中國歷史上具有極高價值和地位的著作。其中《藏書》篇提到“廣置藏書以資誦讀者至為功大也”，強調培植人才之法必定在於推動大眾閱書。可見有識之士對此何其重視，並極力倡導圖書館的公益性和開放性，啟迪著人們，影響至今。

　　此刻的澳門，圖書館分佈在社區，如公園、街市中。圖書館的建築風格也融匯了歐洲和嶺南的特色，藏書亦因澳門的特殊歷史及社會環境而顯得豐富。例如，澳門早期報業、宗教活動產生的檔案、豐富的葡文文獻，乃至新媒體上的電子書，皆為這座歷史名城多添了一份文化氣息。

　　毋庸置疑，知識的創造、資訊的交流催生了文獻，文獻使科研成果得以傳承。而文獻的產生又是多管道、多形式、多數量的。如何將社會上繁雜的文獻最大限度地集中起來、有效整序及流通、傳播，成為傳承文化的載體，即典籍與讀者之間的橋樑，就是圖書館的功能，也是圖書館存在的意義和社會價值。

　　事實上，古今中外，重視文化的當權者大都關注圖書館這座瑰麗的殿堂。早在兩千五百多年前的文明古都尼尼微城（今天的伊拉克），國王亞述巴尼拔在位時使其帝國的疆域極大擴張。此外，他也是一位尊崇文化、博學多才、愛書入迷的王者。後人從發掘出來的最完整古代泥版圖書館──亞述巴尼拔圖書館遺址的一塊泥版上發現他的自述："我受到納布智慧神的啟發，深明博覽群書的必要。我可以從它學到射、御以及治國平天下的本領……讀書不但可以擴充知識和技藝，而且還可養成一種高貴的氣度。" 正因如此，在他統治期間，修建了聞名於世的亞述巴尼拔圖書館。

　　而中國圖書館及文獻事業的幾個全盛時期，無不是處於國勢強盛、經濟繁榮之境。殷商有保存甲骨文的商王室藏書樓，由 "太卜" 掌管甲骨；周朝老子掌管文獻檔案，是圖書館管理者的鼻祖；而秦朝由 "御史" 主管藏書。到了西漢，劉邦的 "大收篇章，廣開獻書之路" 的政策使大量無價的歷史文獻得以保存，並設有秘閣收藏典籍，由秘書監負責掌管國家經籍圖書；東漢時期，最著名的國家藏書機構是東觀和仁壽閣。其後，唐代有弘文殿，宋代則設史館、昭文館、集賢院等，元代有崇文院，明代有著名的文淵閣及皇史宬，清代有內閣、翰林院、國子監等，均為皇家重要的文獻機構。

澳門圖書館同樣源於對文獻的積累和傳遞。16世紀以來的歷史進程中，不少珍貴的西方古籍保存於天主教圖書館及公共圖書館。先後有聖保祿學院圖書館、聖若瑟修道院圖書館、東印度公司圖書館、澳門陸軍俱樂部圖書館、功德林寺院藏經閣等等，可見澳門圖書館有著悠久的歷史。從現代圖書館的職能來看，它是將各種圖書、資料加以搜集、組織和保存，並供大眾閱覽參考的機構。發展至今，其社會職能更明顯，就是向社會開放，不斷發展讀者服務，形成從採集、分類編目，到借閱、參考諮詢、宣傳推廣等職能，且與社會發展同步的一整套科學的系統。也即是說，除保存人類文化典籍外，還起著傳播科學文化知識，對大眾進行社會教育的作用。

今天，當我們可以自由、隨意地在澳門各大小圖書館享受閱讀樂趣之時，回看歷史長廊，小城的圖書館發展有著不平凡的經歷，與世界各地的圖書館的發展規律一樣，經歷過封閉、半開放、開放、到深入社會的各個階段。最早期的澳門圖書館是處於封閉狀態，以藏為主，只供修道院的傳教士和儒生等享用。到了近代，圖書館走向開放，藏用並重，同時開始面向社會，為公眾服務。而當代的圖書館，則強調與日俱新的現代化技術，深入社區，成為社會發展系統中的重要文化支柱。時至今日，圖書館除了承擔其基本的職能，如文獻蒐集、整理、保存、利用，更肩負著社會責任，就是為當地搜集和保存文化遺產，將社會文獻信息流通和整序，為市民大眾傳遞知識，同時也要開發智力資源以及進行社會教育，從而滿足社會成員的健康文化活動需要。

在此，我們不妨追溯澳門圖書館在四百多年漫長歲月的滄桑與傳奇，當中的故事和經歷，值得我們回味、探索。本書以 20 世紀或以前一些具有代表性的圖書館為主要脈絡，並略談當代圖書館的情況。

傳教活動與教會圖書館

聖保祿學院圖書館

教堂鐘聲劃破寧靜的小城

澳門，向來是個平靜小漁港，居民悠然自得，伴隨著日出日落，休閒地生活。然而，16 世紀中葉，遠在大西洋邊陲的葡萄牙人，發現了這個對外貿易的重要港口。葡人得到明朝政府允許進入和租居澳門後，啟動了澳門與世界的多條貿易航線。從此，這裡華洋共處，小城捲入了國際的軌跡，揭開了明清以降東西方文化交流的序幕。

就在同一時期，1534 年 8 月 15 日，西班牙人依納爵・羅躍拉與西班牙貴族方濟各・沙勿略於法國組織了耶穌會（The Society of Jesus），旨在開闢新的傳教教區。當時，耶穌會會士為了挽救羅馬教皇的統治危機，把握這個向東方開展傳教的機遇，紛紛登上了商船，從歐洲出發。他們手捧聖經，乘風破浪，拖著大箱小箱的西方書籍，帶著對東方的好奇和傳教的信念，向著神秘的東方駛來。1562 年 7 月 26 日，耶穌會教士彼利士（Francísco Peres）神父、爹利亞

（Manuel Teixeira）神父，及平托（Andre Pinto）修士等來到這個南海一隅的小城。既然要在澳門籌劃遠東傳教的基礎，興建教堂當為首要任務，這幾位神父，也就是聖保祿教堂之創辦人。

天主教在澳門的歷史可追溯至 1555 年耶穌會士東來澳門，其後，在 1576 年 1 月 23 日，教宗額我略十三世頒佈詔令，天主教澳門教區正式成立，負責管理中國、日本、越南等遠東地區的教會事務。接著，這個小城便成為歐洲傳教士在東方的集居地。聖方濟各會、奧斯定會、多明我會、顯士會等相繼東來，迄今已有四百多年的歷史。

當我們在熱鬧的澳門地標大三巴牌坊下駐足拍照，或穿插在熙來攘往的遊客當中時，或在傍晚柔和的燈影下欣賞夜色之際，不妨停下來，從那道在火海中逃過一劫的前壁裡，仔細尋找這座天主之母教堂（聖保祿教堂）的風雨歷程，以及那個時代的背景，大可以印證《澳門記畧》中所載的"三巴曉鐘"，以及澳門八景之一的"三巴勝跡"，曾經的故事和昔日身影。四百多年前的這座山崗上，有著豐富的歷史

教宗頒發有關成立澳門教區的詔書部份內容（拉丁文）

故事。

　　據 1563 年爹利亞神父向葡國耶穌會報告澳門情況："……蓋澳中已有三百葡人，需要耶穌會建立教堂。"很快，1565 年，耶穌會的神職人員便在小丘山旁，用木板和土石等築成一座棧倉型小室。這樣的棧倉房，葡人慣常用作創辦傳教基地，如在巴西及其他各處殖民地一樣。1572 年，該室遂被擴充為研習拉丁文及神學等之潛修所。當時由主管人安東尼・華士（António Vaz）主持，另有耶穌會神父八人助理之，作為培養天主教傳教士之遠東中心基地。

　　最早抵達澳門的耶穌會傳教士，以澳門作為向東方傳教的基地，他們經歷過千辛萬苦，興衰起落。在拉開澳門宗教文化序幕的同時，更積極從事各項社會活動，包括教育、救濟、醫療等事業，而圖書館也因而靜靜地建立起來。誠然，最初就只是為了名儒將相、教會人士等少數人服務。對老百姓而言，圖書館只是貴族的殿堂。但是，當時的圖書館已經默默地承擔著東西方文化傳播和交流的重任。

　　萬曆八年（1580 年）耶穌會在澳門興建教堂，

初時是用稻草搭蓋屋頂。當地人對於自己的土地仍是非常重視，對於外來神職人員在這裡建蓋教堂，也不是隨便接受，更曾經作出破壞，且充滿文化自信地管教堂叫做 "寺" 或 "廟"，如三巴寺、花王廟等。後來耶穌會為了加強保安，其副省會長佩德羅·戈麥斯（Pedro Gomes）神父下令給教堂加蓋瓦片。終於，由耶穌會會士、來澳避難的日本教徒、澳門工匠合力建造完成天主之母教堂，即人們熟悉的大三巴。於是，教堂的鐘聲劃破寧靜的小城。

就在教堂建成不久的 1594 年，教堂旁邊的聖保祿學院落成，作為培養歐洲來的神職人員的學院，向中國內地和遠東地區傳教作好準備。就這樣，澳門的圖書館隨著傳教的鐘聲而誕生，從某種角度而言，是西學東漸的產物，孕育於傳教士在東方展開活動之時期，其興衰起落，也受傳教活動的盛衰影響。

棱堡形設計的圖書室

聖保祿學院，作為遠東第一座西方大學，曾經是匯聚歐洲及遠東地區神職人員和學者的重地。遺憾現

聖保祿教堂舊貌

錢納利筆下的聖保祿教堂和學院（1834 年 10 月 18 日）

在已經不見蹤影，連一片碑牌也沒有。或者我們可從 1594 年 10 月 28 日出版的《澳門聖保祿學院年報》，看看當時如何描述這座學院：

學院依山勢而建，周圍有高牆環繞。兩間帶有閣樓的寬大房宇露出牆頭，如同兩座城堡，其間有個美麗的庭院。沿牆有條走廊，其間有數個小房間。由於地勢關係，小房間地面與兩間大屋宇的閣樓一般高低。山腳與山上通過兩個階梯相通，還有一個帶庭院的教學區和正門。正門處有幾間辦公室。再向上走，又有幾間供教師職員使用的寬適房間。正門前面，還有一座封閉式的極大庭院。整個庭院可容納四十名教士，而且居住條件十分舒適，因為除了四個教學區外，上面還有十九個房間、兩個大廳、兩間教室和一間極大的藥房。下面還有另外七個房間和十分舒適的辦公室。范禮安視察員還決定再建一間新飯廳，因為目前使用的飯堂是借來的。如果需要的話，我們還有許多地方可以建更多的設施。

有關這裡昔日的景貌，我們只能從畫家的筆下以

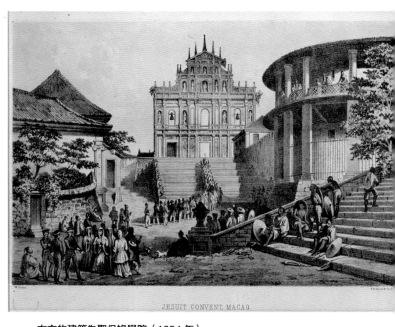

JESUIT CONVENT, MACAO.

右方的建築為聖保祿學院（1854 年）

及前人的記錄中重塑舊貌。例如英籍德裔畫家彼德·海尼（Peter Heine）於 1854 年在澳門為我們留下當時的畫面，圖中可見，正中是大家熟悉的大三巴牌坊（兩次大火後，於 1602 年奠基，1637 年建成教堂，遺憾在 1835 年經歷了第三次大火）。左方是耶穌會住院，而右方就是傳說中的聖保祿學院，澳門歷史上第一所圖書館（室）便在此中。只可惜我們沒有圖書室的遺跡，只有無限的想像。

可以臆測，當時這座宏偉的學院優美而典雅。1594 年 11 月 9 日，耶穌會遠東觀察員范禮安（Alessandro Valignano S.J.）神父寫給耶穌會總會長的信中，還詳細說明了學院內部情況：“如果遠望大海和整座城市，學院彷彿位於山體的中央位置。”同時，澳門第一個圖書室的情景也出現在他的筆下：

學院內所有的房子都與棱城堡的一樓同樣高。其中一個（棱堡）之內，有用作休息和圖書室的巨大而涼爽的房間。在另一個（棱堡）的二樓，有兩個非常寬敞的醫務室。那里還有禮拜堂和三個小房間。

與此同時，我們大抵知道，圖書室的位置以及其他設施的聯動和設計：

在這個棱堡圖書室的下方，還有另外一個附帶禮拜堂的大廳，那裡給修道士們做彌撒之用。在醫務室的旁邊，是非常舒適而清潔的廁所。除了上述教室，大門及其上方小房間，學院的新建築中有兩個禮拜堂，大門處還有第三個（禮拜堂）。此外還有上下兩層的大房間用作休息和圖書室，另有十九間小屋和醫務室的大房間。因此，上下兩層可供四十名耶穌會神父與修道士們舒適地起居。

從范禮安在信函中的描述可見，原來這個澳門歷史上的第一個圖書室，與學院風格一樣，是極其獨特的棱堡建築。這種棱堡式的設計，多少讓人想到保衛和防禦的功能。具體而言，就是在帷幕的牆向外凸出以角形結構的模式。這種設計盛行於 16 世紀中期至 19 世紀中期，以往多為堡壘的組成部份。不難看出，當時學院設計也具備了防衛意識。無論如何，澳門首座圖書室在這裡誕生了。

學院規模與藏書

在當時來說非常宏偉而具有特色建築風格的修院，與聖保祿教堂構成山上的一組合建築，而當中的圖書室，正是為傳教士學習和暫存書本之用。那到底圖書室內有何寶藏？我們可以追溯，葡萄牙人於 1553—1557 年間正式踏入澳門，開埠之初，主要利用澳門作為貿易的港口，取得中國和日本之間的貿易壟斷權。因此澳門更成為天主教向東傳教的搖籃。當澳門成為遠東第一個教區後，負責管理中國、日本和越南的天主教事務。此後，羅明堅（Michel Ruggieri）、利瑪竇（Matheus Ricci）等傳教士，就以澳門為基地進入內地的肇慶、韶關、南京、北京以至各省市傳播天主教。

耶穌會會士抵澳後即著手進行各種活動。范禮安神父帶來了打算運去日本的印刷機，但由於日本的豐神秀吉將軍下令驅逐傳教士，結果未能運出。因此在 1588—1590 年間，在澳門印出了今天看來頗珍貴的書籍。

而他們選擇澳門的最重要的原因是，教會規定：

凡入華傳教士一定要先在澳門學習中國語言和禮儀。於是，如上所述，1594 年耶穌會會士在澳門創辦聖保祿學院，將原小學規格之公學升為大學規格。這是澳門歷史上第一所高等學院，亦是中國境內，乃至遠東地區的第一所西方式大學，是為歐洲東來的天主教傳教士而設的學府。在當時來說，這是極具規模的學院。根據編年史的記載，萬曆二十年（1592 年），澳門聖保祿初級學院學生人數迅速增長，澳門商人的子女及其僕役的子女有 200 餘人在該校讀書。就這樣，澳門的首座圖書室便在該學院內設立，標誌著澳門圖書室事業的種子已撒下。

學院內有會士 30 多人，學生 200 餘人。他們在澳門辦學是以西方古典學術知識為主體，以神學為主旨，以拉丁文為基礎。學院內設置教育、天文曆學、物理學、醫藥學、哲學、神學和人文科學的漢語、拉丁語、音樂、修辭學十門課程。由於辦學，必然需要文獻支援教學之用，當中的圖書室也為學院服務。我們可以從多明古斯（Domingos）的研究中想像到，院內的圖書室藏書亦漸具規模。他是這樣說的："由於聖保祿圖書室儲存了許多本澳門印刷及來自果阿、葡國和其他國家的圖書，因此，它是那個時代重要的圖書室。得益於當時在澳門的印刷機和源源不斷運抵的圖書，聖保祿學院圖書室同果阿一樣，成為遠東儲存歐洲圖書最豐富的圖書室之一。1746 年，一個澳門居民，若奧·阿爾瓦斯（João Álvares）告訴人們，該圖書室有藏書 4200 本。"

有誰想到，在澳門這個小漁港的西式院校圖書室，也是歐洲文獻典籍傳入中國的重要中轉站。這是因為澳門作為傳教士向遠東開展傳教活動的基地，文獻資源在澳門的流動量自然很大。聖保祿學院圖書室便成了圖書典籍的集散地。耶穌會會士從澳門帶入中國的外文書，在 17 世紀較大數量的就有三次。明萬曆四十八年（1620 年），金尼閣（Nicolaus Trigault）他們從西方帶來了大批書籍，約 7000 部之多，除宗教文獻著作外，其中很多是科技書籍，如《奇器圖說》就是從中最先譯出之一。1651 年，湯若望（J. Adam Schall von Bell）從歐洲帶來個人藏書 3000 餘卷。1687 年，白晉（Joachim Bouvet）、張誠（Joan,

Franciscus Gerbillon）來華時帶來個人藏書 30 餘箱。圖書內容豐富，涉及各個門類，包括數學、幾何、天文、地理、曆法、水利、測量、醫學、音樂等等。這些書對當時的中國社會來說非常新鮮，滿足了朝廷對西方文明的好奇和探索之心。

明朝時期的太僕少卿李之藻也對此關注起來，認為這些典籍在當時來說 "多非吾國書所有"。書籍被傳教士從澳門帶到中國內地，有識之士視其為珍寶，馬上拿來翻譯和利用。因此，可以説，很多圖書是為了進入他們的目的 "市場"——中國內地而來的。當時的澳門圖書室便成了宗教乃至整個西方文化向東傳播的搖籃，聖保祿學院圖書室亦一度成為中西文獻傳播和交流的中心。

聖若瑟修院圖書館

小三巴內的乾坤

　　人們將聖保祿教堂的前壁稱作大三巴牌坊，這是源於教堂外文名 São Paulo 與粵語 "三巴" 近音，而 "大" 一方面指大教堂，另一方面，也因澳門在 18 世紀興建了同樣是巴洛克建築風格的聖若瑟教堂，除了外形與聖保祿教堂相似，教堂旁邊也設有神學院——聖若瑟修院（Seminário de São José）。該院承擔著神學的職能，培養來澳門的各地傳教士。因此當地人慣稱它為 "三巴仔" 或 "小三巴"。修院位於崗頂前地，於 1728 年創立。據資料顯示，當年耶穌會會士取得現址後，歷經 30 年，院舍陸續落成。毗連的聖若瑟聖堂於 1746 年興建，1758 年落成，規模僅次於耶穌會會士興建的聖保祿學院的天主之母教堂（即現時大三巴牌坊遺址的前身）。

　　與聖保祿學院一樣，聖若瑟修院是專門為培訓赴中國內地及東南亞傳道的神職人員而設的修院。2001 年，獲聯合國教科文組織亞太區文物古跡保護獎；

澳門聖若瑟修院

當年傳教士學習的修院仍保存良好

2005 年，成為澳門歷史城區的一部份被列入《世界文化遺產名錄》；2010 年，圖書館中保存的 16—19 世紀古籍成為天主教澳門教區檔案文獻系列的重要典藏而列入聯合國教科文組織亞太區《世界記憶名錄》。可見，修院圖書館所收藏的古籍非常豐富。

雖然後期聖若瑟修院不再辦學，但自創辦以來，培養了許多中國和東南亞各地教會人才，如廣州、果阿、東帝汶、香港、馬六甲等地的天主教神職人員有數百名，故此修院被稱為澳門歷史上最主要的教育中心之一，老一輩的澳門人稱之為澳門天主教的"少林寺"。1800 年被授予"皇家修道院"稱號，這是因為聖若瑟修院為澳門以至中國的傳教事業作出過貢獻。目前修院保存良好，內有多個圖書館，藏有涵蓋 16—19 世紀的豐富古籍，極具研究價值。

在兩百多年的辦學過程中，聖若瑟修院和天主教在中國傳教的命運一樣，經歷了興衰起落。曾經因為耶穌會會士被驅逐，修院的教授星散殆盡而暫停；更一度成為一座孤兒院；18 世紀後復甦，修院的修士學生人數大增。

聖若瑟修院綜合古籍室

聖若瑟修院西文古籍室

聖若瑟修院中文古籍室

聖若瑟修院內的長廊

館藏典籍豐富

利瑪竇認為："到中國傳教，決不是強大的艦隊、聲勢浩大的軍隊，或是其他人類武力所能奏效的。""傳教必是獲華人之尊敬，最善之法，莫若漸以學術收攬人心，人心即付，信仰必定隨之。"修院圖書館中館藏的各類文獻，可以體現他的這一政策確實得以實行，並因此達到了目的。當中有大量宗教文獻古籍，內容主要涉及聖經學、教義、神修、禮儀、教會法律、神學、天主教信仰解釋、宗教歷史、彌撒程序、聖人傳記等。這些文獻主要供修道者進修神學，以及進行傳教活動之用。另外，還有百科全書、中外文字典、音樂資料等，還有中西文書籍及期刊，以及不少在修院出版的圖書。作為一所神學院，圖書館也保存了修士或神父因課堂教學或使用的教材、導師講課用資料，以及大量的照片檔案。

目前所知，最早保存在修院圖書館中保存最早的文獻是 1578 年出版的古拉丁文文獻 *M. Tullii Ciceronis Orationes Paulli Manutij Commentarius* 該書註解西塞羅（Marcus Tullius Cicero）在古羅馬議會的演講，主要

古拉丁文文獻，1578 年出版的 M. Tullii *Ciceronis Orationes Paulli Manutij Commentarius*.

清末時期聖若瑟修院中來自內地的修士

內容是有關羅馬帝國國會所涉及之國家政治、經濟等
社會事務，反映了古羅馬的社會情況。

《中國官話》價值

　　傳教士研究中國文化和語言，是為了更好地融
入中國社會，在修院的館藏系列中，就有不少此類
文獻。其中有趣的一本，是 1742 年出版以拉丁文教
授學習中國語言等的《中國官話》（*Linguae Sinarum
Mandarinicae Hieroglyphicae Grammatica Duplex*）。
該書出版者為 Hippolyte-Louis Guérin，出版地為巴黎
（Lutetiae Parisiorum）。圖中可清晰看見中文、拉丁文
譯義及拉丁文教授之中文讀音，充分體現他們對中文
學習的熱忱，亦可見 18 世紀中文在歐洲的流通及其
重要性。

　　談到這本書，筆者曾經在國外古籍收藏書商的一
份拍賣清單中驚喜看到該古籍的資料，拍賣單出價是
9500 美元，旁邊更加了說明：“在過去 50 年的拍賣
紀錄中只出現過一本”，可見版本非常珍貴。然而，
對澳門來說，這價錢是毫無意義的，其價值絕非金錢

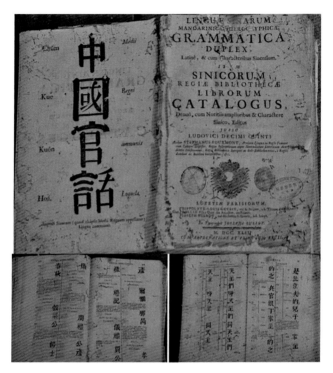

《中國官話》，1742 年巴黎出版

可以衡量。

　　當年筆者有幸得到聖若瑟修院李順宗神父的幫助，在圖書館的寶庫中找到這本珍貴古書。它是由著名法國漢學大師埃狄納‧傅爾蒙（Etienne Fourmont）教授編纂，以拉丁文教授歐洲人學習中國語言、歷史、文化的書，該書被稱為西方漢學研究的一個重要里程碑。說這本書與澳門有關，並不是因為它的內容，或作者，或出版地等跟澳門扯上關係，而是它背後的意義，以及它所承載的澳門歷史。藏於修院圖書館的這本《中國官話》，書名頁上蓋了好幾個印章，每個印章都代表了這本書的歷程。當中一個紅色搶眼的，是沙賴華（1765—1818）（Joaquim de Souza Saraiva）主教的個人藏書印章。僅是這印章，便是一段厚重的歷史。兩百多年前，當時沙賴華神父獲羅馬教廷委任，前往北京的教區擔任主教。他滿懷著對東方的好奇和希冀，也立志將歐洲的文化帶到中國。於是，他精心挑選了一批書籍，當中有西方哲學、數學、語言、文化等等，準備經澳門帶到北京之用。他在葡國踏上了駛往東方的大船，經過漫長的海上之旅，1804 年 9 月 16 日抵達澳門這個小漁港。一如其他到來的歐洲神職人員，他在聖若瑟修院住下。可惜，當時正是清朝嘉慶年間的禁教時期，他在澳門留下來等待機會，但一直無法上京。他沒有考慮返回葡國，而是選擇留下等待機會，在澳門聖若瑟修院教授數學、哲學及神學，整理檔案資料。很遺憾，直至 1818 年 2 月 26 日去世，他仍然不能履行職責到北京擔任主教。過身後，其遺體葬於修院旁邊的聖堂，永遠留在了澳門。這段小故事是那個時代澳門的縮影，充份體現了多元和包容的文化特徵。

現在，澳門的這本《中國官話》，已經與修院的一系列藏書以及教會檔案同被列入聯合國教科文組織亞太區《世界記憶名錄》，成為人類的共同文化遺產。而他從歐洲帶來的一批西方書籍，亦一直留在聖若瑟修院的圖書館內，成為澳門的文化寶庫。

學習中國語言文化典籍

傳教士為融入地方文化，積極學習中國各地方言，例如將廣東方言、上海方言等以外文譯音對照。現存於澳門的這些文獻大部份為 19 至 20 世紀初出版。廣東是洋人進入中國的門戶，在乾隆閉關自守期間，基本上禁止外國人進入，但廣州仍是北京以外唯一允許西洋傳教士居留的地方，直到當時的廣東巡撫接到皇帝訓斥他的諭旨後，才採取驅逐行動。可以說廣東是最後防線，亦是傳教活動較頻繁的地區，如肇慶、開平、斗門等地，因而造就他們學習粵語以作為重要溝通工具。

　　所以，聖若瑟修院圖書館保存的此類文獻亦以學習廣東話為多，他們將歐洲語言以譯音對照來學習本地文化。例如：《精選廣東方言短語》（筆者譯）（*Select Phrases in the Canton Dialect*）第七版，由克爾（J.G. Kerr）博士撰寫，出版機構為 Kelly & Walsh 有限公司，於 1889 年由香港、上海、橫濱、新加坡四地聯合出版，序言由該書作者於廣州撰寫。全書內容圍繞日常生活常用詞的粵語加英文譯音及英文解釋對照：

英文解釋	粵音詞句	英文譯音（粵語讀音）
Pour it full	斟滿佢	Chum Mum K'u
Eaten Sufficient	吃飽咯	Yak Pau Lok
What are you doing now?	你而家做乜野？	Neil Ka Tso Mat Ye

　　這些非常親切和地道的通俗用語在澳門及廣東等地幾乎無人不說，是溝通的最好方法。可見傳教士細膩地觀察具有濃厚地方色彩的語言特色，所用的詞句中，充分體現他們渴望融入當地文化的熱忱及嚴謹態度。事實上，神職人員學習的方式多採用較輕鬆易入門的手法。例如《綜合粵語學習法》（*First Year Cantonese*）小學教科書便是一例：

第九課 學校嘅後生 HÔK HAÂU KÈ HÂU SHAANG The School Janitor	
我學校有後生 Ngoh hôk haâu yau háu shaang	名叫做（亞喜庭） Mèng kìu tsô "ÀhHéiTèng"
佢日日做乜工？ Kúi yât yât tsô mat kung?	等我來講你聽 Táng ngoh lài kóng Nei téng
……	
食完飯，洗衣服 Shik uen fâan sái ì fôok	想叫佢，要嗱鐘 Séung kìu kui, ìu kâm chung
嗱三下　佢就來 Kâm saam hâ, Kúi tsàu lai	做乜嘢　吩咐佢 Tsô mat ye, fan fòo kúi

筆者註解：我學校有位雜務，他名字叫亞喜庭；他天天在做什麼？讓我來告訴你……吃完飯，洗衣服；想叫他，要按鈴；按三回，即會來；做什麼，安排他。另外當中一些字更是他們按意思造的，例如"叫"字，表示"叫"的意思。

　　上海也是當時傳教的重要城市之一，學習上海話的文獻亦隨手可及。一本以法文教授上海方言的《上海方言學習課本》（*Leçons sur le Dialete de Shanghai*），從單詞到句子，有法文譯音對照及法文註解。例如：

單詞：（譯音、解義、上海話）
1. ère personne : Mon, le mien'ngou-ke' 我個 .
2. ème personne : Ton, le tien,le vôtre'nong-ke' 儂個 .
3. ème personne : Son, sa, le sien'i-ke' 伊個 .

（筆者註：1. 我的 , 2. 你的 , 3. 他的）

　　由於澳門是致力培養入華傳教士的基地，較為正統的中國語言教科書成為不可或缺的文獻之一。當中更不乏在澳門出版的語文教科書，《教話指南》（*Bussola do Dialecto Cantonense*）便是一個例子，由著名土生葡人翻譯官 Pedro Nolasco da Silva 編著，現存於澳門圖書館，共有七冊，於 1906 年到 1922 年期間出版，主要是歐洲語言對照中文粵音字佐以拼音輔助學習的教科書（該書的中英文版同期在廣州出版）。又例如 1956 年以西班牙文出版的《現代中國語文》（筆者譯）（*El Lenguaje Chino Moderno*）由 Emiliano Martin. S. J 撰寫，以教授中國歷史文化的方式學習中文，皆為澳門文獻出版事業史留下重要的印記。

　　另外，於 1938 年在上海出版的《英華合璧》（*KUOYU PRIMER: Progressive Studies in the Chinese National Language*），亦是中文語言教科書之一，由馬非（R.H. Mathews）編著，以教授普通話為主；還有 1931 年出版的《中文會話基礎》（筆者譯）（*Introducción al Lenguaje Hablado Chino*）、天津崇德堂於 1938 年出版的《中文閱讀基礎》（筆者

在澳門出版的 *El Lenguaje Chino Moderno*（1956 年）

譯）（*Introduction to Spoken Chinese – Sermo Sinicas Vulgaris*）以西班牙語譯音教授中文等等，這類文獻不計其數，都是為歐洲傳教士學習中文而出版的教科書。

　　不管怎樣，天主教傳教士歷盡艱辛來到東方，踏上澳門這塊寶地，在這裡勤習中文，作為進入中國腹地的準備。因此，當他們掌握了一些基本語言技巧後，更需要掌握真正傳教方面的中文知識以利用中文向中國人傳教。我們從藏書中可見傳教士們對學習中國語言的熱誠，對傳教的堅持。

　　澳門的圖書館事業與傳教活動息息相關。除了上述的聖保祿學院圖書館、聖若瑟修院圖書館外，澳門還有不少教會（包括天主教和基督教）組織圖書館。例如，澳門主教府圖書館、林家駿主教藏書館及澳門主教府管轄下的高德華公共圖書館。還有澳門耶穌會圖書館，16 世紀中葉天主教傳入中國，是以耶穌會會士為鑑，亦是近幾個世紀最具影響力的天主教傳播者，內設有圖書館，保留了上萬冊圖書，以及珍貴的照片資料，包括傳教士在中國內地傳教活動的留影。另外，澳門利氏學社圖書館是耶穌會屬下所建的學社，主要研究漢學及中國文化。

主教公署圖書館

澳門天主教主教公署，又稱主教府，位於大堂右側。1576 年由教宗額我略十三世頒下諭旨，確立澳門在遠東的教區地位，澳門主教堂便開始成立，曾管轄著中國、朝鮮、日本、越南、老撾、暹邏、馬來西亞等地的天主教會，至今已四百多年。據考證，主教府至少建於 1835 年（清道光十五年）前，現有建築為 1987 年時擴充和重建，1991 年完工。主教府內的圖書館藏有不少書籍。

　　早期的傳教士以澳門作為向東方傳教的基地。在拉開澳門宗教文化序幕的同時，他們亦積極從事各項社會活動，包括教育、救濟、醫療等事業。隨著天主教在澳門推動各項活動，涉及範圍增大，因而產生各類文獻資源。現時，主教府附設天主教教會歷史檔案室，內藏古籍、18 世紀古畫和手抄文件，圖書館存有全套的文物雜誌合訂本多輯，極具歷史價值。

　　主教公署的檔案最早可追溯至羅馬教廷於 16 世紀中葉致澳門的信函，例如，1575 年教宗額我略十三世以拉丁文頒佈成立澳門教區的詔書（1803 年重抄本），還有澳門與其他轄區教會的來往信函原件、教廷指示、手稿、活動計劃、活動報告、神父資料、會議記錄等等。他們將歷史悠久的西方文化帶到澳門。

　　傳教士從西方帶來了大批文獻，並且在澳門印刷圖書。另外，他們也竭力從事神學傳播活動，同時亦將中國文化向西方國家傳播，將西方的文明科學帶

澳門主教公署及大堂一帶

澳門主教公署內

"天主教澳門教區檔案文獻 16 — 19 世紀"列入聯合國教科文組織亞太區的《世界記憶名錄》

澳門主教公署圖書館藏豐富古籍

到中國。在這過程中，澳門產生了不少具有歷史意義的文獻資源，對亞洲以至整個世界的交流皆具深遠影響。這些文獻得以保存，澳門天主教教會功不可沒。相信這對亞洲乃至整個世界人類記憶皆具有意義，印證澳門在中西文化交流的中心角色。

禁教對圖書館的影響

圖書館是社會的一個子系統，它的發展總是受社會環境的影響和制約，經歷興衰起落也是必然的。

18世紀初，由於天主教干涉中國教徒的傳統禮俗，康熙帝下諭禁傳天主教，在中國內地傳教的耶穌會會士不斷被驅逐，回到澳門。另外，歐洲各國政府紛紛下令驅逐耶穌會會士。1775年，澳門耶穌會亦遭解散。於是，天主教教務逐漸走向衰落。到1818年，澳門天主教教友只餘5000多人。隨著天主教這時期的窘局，對圖書館也疏於管理，文獻資源亦因此有所佚失。禁教時，很大一部份澳門教會的財產被沒收，有關的文件、文獻亦被當局一併收去。其中，由於1762年葡國首相龐巴爾侯爵（Marquês de Pombal）

下令解散耶穌會並將傳教士逐出葡國，以致 1773—1814 年間，多國派兵驅走會士和搜集有關的文獻。傳教士在誠惶誠恐之下將存於澳門及各地教區的大量物品，包括圖書，急急盡載西去，經海路運往菲律賓馬尼拉、葡國，再運到羅馬總部，數量難以估計。當中有書籍、檔案等，成為澳門圖書館文獻一次重大損失。據文獻記載，僅是 1761 年 3 月 14 日耶穌會會員歐華利斯（J. Álvares）便將聖保祿圖書館的圖書、檔案共裝了四個中國式木箱運往馬尼拉。另外，由於 1835 年聖保祿學院被大火焚毀，聖保祿學院圖書館擁有的 4000 多冊藏書毀於火海。這一時期與宗教相關的圖書館發展隨著天主教的衰落而停滯了一段時間。

另外，隨著香港開埠，1842 年，馬禮遜學堂遷至香港，圖書館及其藏書全數搬遷。種種因素令澳門的學術環境陷於低潮，無疑也導致與社會息息相關的圖書館事業停滯不前。

總的來說，在澳門開埠以來的數百年漫長歲月裡，澳門的圖書館事業隨著西方傳教士東來傳教而發展起來。今天看來，在其發展的歷程中，最為重要的產物是相當數量的西方珍貴古籍，使之得以保存於澳門，當中不少為東南亞地區館藏最豐富、最具代表性的西方古籍。

澳門圖書館雖然有著悠久的歷史，但此時期的圖書館不具備現代意義，讀者主要為傳教士、教徒、外國商人、船員、軍人及其家屬。當時的澳門圖書館以藏為主，並未有向社會大眾開放的意識，更沒有現代意義上的公共圖書館。而最大特點是，以西方傳教士來華傳教而展開，他們將歐洲文明帶到澳門，同時以澳門作為基地，向遠東傳播西方學術思想。因而西方的科學通過澳門傳入內地，而中國的傳統文化也經傳教士翻譯後帶到歐洲，中西文化經澳門互相交流。

基督教的東印度公司圖書館

成立於 1600 年的英國東印度公司，在其遠東計劃之初，即選擇澳門作為與中國建立貿易關係的跳板，目的是發展英國在遠東和印度的貿易，成立之初是壟斷性的貿易團體，甚至一度擁有軍隊。1684 年中國廢除海禁後，英國東印度公司便到廣州十三行開展貿易，不久在澳門設立分公司，以澳門作為囤積和經營鴉片貿易之地，獨佔鴉片轉賣權。中國人深受鴉片之禍害。在澳門活躍期間，1829 年成立了英屬東印度公司圖書館和博物館，據了解該館藏書量不少，除歷史、文學及科學著作外，還搜集來自世界各地的各種讀物。英國東印度公司還設有印刷所，自 1815 年至 1834 年間，出版書籍 25 種，內容主要為中國歷史、文化以及各地的方言等。

　　與東印度公司有密切關係的第一位來華基督教傳教士是馬禮遜（Robert Morrison）。由於廣州被禁傳教，他在東印度公司的庇護下充當翻譯員，使當地政府、天主教等未能發現他的真正身份。馬禮遜於 1807 年到澳門，進行秘密活動和傳教，並翻譯和出版了不少著作，包括《聖經》的第一個中文譯本；並於 1822 年編撰出版了中國第一套中英文字典《英華字典》（*A Dictionary of the Chinese Language*），該套具歷史意義的英漢字典共有三部份，當中第一、二部份存於澳門歷史檔案館，第三部份存於澳門中央圖書館；其後他也編寫出版了英文版《漢語語法》等。1834 年，馬禮遜在廣州病逝，葬於澳門基督教墳場。後來成立了 "馬禮遜教育會"，在美籍傳教士的協助下，澳門辦起了中國第一所西式學堂 —— 馬禮遜學堂，課程有英語、漢語、算術、代數、幾何、物理等。許多中國近代的思想家和技術人才就是在這所學校裡培養出來的。如近代改良主義者容閎和近代第一位著名西醫黃寬，就是馬禮遜學堂的高材生。而當時的馬禮遜學堂內便設有圖書館，也是澳門第一所中學圖書館。

　　由於澳門在明清時期已是對外開放的城市，得益於當時中國政府對澳門採取寬鬆放任的態度，澳門各種活動如經濟、文化、政治等活動得以活躍，圖書館事業是社會的產物，開放的氛圍也為當時的澳門圖書館事業開闢了生存的空間。

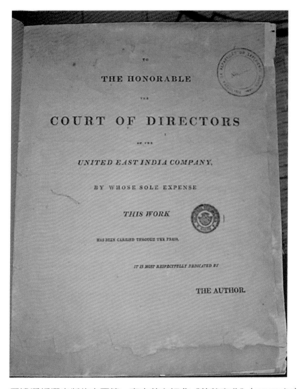

馬禮遜編撰出版的中國第一套中英文詞典《英華字典》（1822 年）

澳門圖書館與近代有識之士

語言文字除英文英語盡人兼習外其餘法文篤泰西所會條約公牘猶必用之俄德大

國文亦通行希臘文拉丁文足資考古有欲學者皆篤實用宜立博文齋以教之

算學之粗淺者盡人能知其精深者乃通乎道亦非專精不能大成除通行算術人人兼

習外其幾何微積以上深奧之詣別立算學齋聽人名家

自漢以來中秘藏書自非從臣罕得紳薦西人國郡戒鄉皆有書藏廣度綜峽以供搜求

其最大者奎之書藏計藏一百

五十萬卅嘉惠士林篤益非尠今宜採其法設藏書處中分中書西書兩竷中書調取

殿本及各省官局所刻之書各備全分民間刻本向坊購置西書調取江南製造局全分

其餘新刻本向坊購置別由總教習開列未譯西書擇其精善者令各使臣購寄一分藏

於館中以備隨時譯出

西人城鎮皆有博物院專門諸學皆有學會咸大集諸器以供試驗今宜采其法設藏器

　　澳門圖書館在漫長的歷程中，不斷摸索向前。19 世紀末 20 世紀初，許多進步的知識份子，為了探索振興國力、抵抗侵略和解決社會矛盾的途徑，紛紛引介西方的經驗，提出各種改革方案，包括建立新式圖書館，從藏書走向閱讀。戊戌政變後，即光緒末年宣統初年出現了近代公共圖書館。澳門方面，由於受到內地社會變化的影響，一批有識之士來澳，對學術氛圍有所推動。而此時的澳門社會內部也發生變化，大眾開始意識到圖書館的重要性及公共性。另外，20 世紀中葉，由於抗日戰爭的爆發，大批知識份子因逃離戰火而暫居澳門，在澳門推動進步運動，因此而設立圖書館。

　　事實上，澳門雖是彈丸之地，但種種原因，小城成為不少有識之士居住和活動之處。如鄭觀應、康有為、梁啟超、林則徐、孫中山等以澳門作為他們追求理想的搖籃。他們在推動社會學術進步的同時，也大力推動澳門圖書館事業發展。

鄭觀應提出廣置藏書

　　鄭觀應是中國近代思想家、實業家、經濟學家。從 1886 年起到 1891 年，洋務官僚利用織布局的虧欠對鄭觀應進行迫害。從此他賦閒居於澳門，著成代表作《盛世危言》，並把孫中山的《農功》等文章收入該書。這部以富強救國為主題的皇皇巨著在當時振聾發聵，風行全國，對維新變法運動產生了深遠的影響。

　　他在 1873 年撰寫的《救時揭要》以及 1880 年由中華印務總局刊行問世的《易言》，都是他闡明啟蒙觀點的代表作。除了宣傳其改良思想外，還有《澳門豬仔論》、《澳門窩匪論》等揭露澳門時弊的論著。

　　1906 年，他因回家守制而長期留居澳門。在這期間，他發表了很多關於鼓吹君主立憲的言論，並於 1907 年編輯、整理了文集《盛世危言後編》。他的著作涉及對中國傳統的政治、經濟、軍事、文化和社會等方面的批判和改良，因而這些著作也奠定了他作為中國近代改良思想家的地位。

影響深遠的《盛世危言》是鄭觀應於清光緒二十年（1894年）在澳門完成的，當中尤其關注圖書館事業，並極力宣導。其《藏書》篇中説：

"泰西各國均有藏書院、博物院，而美國之書籍尤多……通國書樓共二百所，藏書凡二百八十七萬二千冊。此外，如法蘭西，書樓共五百所，藏書凡四百五十九萬八千冊；俄羅斯，書樓共一百四十五所，藏書凡九十五萬三千冊；德意志，書樓共三百十八所，藏書凡二百二十四萬冊；奧地利，書樓共五百七十七所，藏書凡五百四十七萬六千冊……羅馬大書院除刻本外更有鈔本三萬五千冊，細若蠅頭，珍如鴻寶，洵數典之巨觀，博學之津樑也。"

他更指出："獨是中國幅員廣大，人民眾多，而藏書僅此數處，何以遍惠士林？宜飭各直省督撫於各廳州縣分設書院，購中外有用之書藏貯其中，派員專管。無論寒儒博士，領憑入院即可遍讀群書。"

同時，在《藏書》篇十章中也寫道："廣置藏書之資誦讀者之為功大也。" 更列舉古今中外藏書樓的規模、經營模式等，描述讀者在書樓中閱書情景：

　　……就長案上靜看，不許朗誦。閱畢簽名書後，何日、何處、何人閱過，繳還經手。該值堂年終查核，知何書最行。

　　另外，在其中《學校上》的一章再次強調了圖書館之重要：

　　泰西各教育人才之道計有三事：曰學校，曰新聞報館，曰書籍館。

　　鄭觀應認為中國要仿效西方國家 "培植人才之法"，則必須普遍設立圖書館。他將圖書館的重要性，尤其是對培育人才所起的作用進行了非常精闢的闡述，並明確地向社會大眾宣傳，對知識界產生了極大的影響。

康有為、梁啟超倡設藏書處

　　歷史上澳門成為不少學者及政客追求理想及延續抱負之地。如康有為、梁啟超等學者，便一直致力將西方學術思想帶到澳門。1895 年，中日甲午戰爭後，維新派思潮開始發展為政治運動。由於廣東封建勢力十分強大，改良派人士劉楨麟等聯絡富有愛國情懷的澳門巨賈何廷光，邀請維新派領袖康有為於 1896 年 11 月前往澳門活動，宣傳維新變法，並得到當地人士支持。其後，康有為決定將澳門作為維新派在華南的活動基地，且讓其弟康廣仁留在澳門，籌辦宣傳變法的報紙。集得資金（其中不少是澳門葡籍人士的資金）後，在股東的要求下，正在廣東探親的上海《時務報》主編梁啟超應邀到澳門，共同創辦了《知新報》。《時務報》亦是康有為、梁啟超等在上海創辦的進步報紙。

　　《知新報》具有學術性，同時關注圖書館事業發展。例如，在王覺任撰寫的文章《增廣同文館章程議》中，就提出了仿效西方國家設立圖書館及博物館的建議，對西方圖書館的狀況作了詳盡描述的同時，也對國內圖書館事業提出建議。他指出：

> 自漢以來，中秘藏書，自非從臣，罕得紬讀。西人國都城鄉，皆有書藏，廣度縹帙，以供搜求，其最大者，為法京巴黎之書藏，計藏二百二十六萬冊。次則英都倫頓之書藏，計藏一百五十萬冊。嘉惠士林，為益非尠，今宜採其法，設藏書處中，分中書西書兩櫥，中書調取殿本，及各省官局所刻之書，各備全分，民間刻本向坊購置西書調取江南製造全分。其餘新刻本，向坊購置，別由總教習開列未譯西書，擇其精善者，令各使臣購寄一分，藏於館中，以備隨時譯出。

> 西人城鎮皆有博物院，專門諸學，皆有學會，咸大集諸器，以供試驗，今宜采其法，設藏器處，令各使臣，將諸學新器，隨時購庀，咨送到館，俾學生自驗心得非託空言。

這些對當時的市民來說，都是一些嶄新的世界資訊，它進一步確定了圖書館的必要性。《知新報》上

線之識陞行扼塞之圖皆宜講求以備選將然中國現在無艦鎗砲營壘可資學習選

入一年後宜分遣出洋

一語言文字除英文英語盡人兼習外其餘法文泰西所尊條約公牘貀必用之俄德大

國文亦通行希臘文拉丁文足資考古有欲學者皆爲實用宜立博文齋以教之

一算學之粗淺者盡人能知其精深者乃通乎道亦非專精不能大成除通行算術人人兼

習外其幾何微積以上深奧之詔別立算學齋聽人名家

一自漢以來中秘藏書自非從臣罕得紬讀西人國都城鄉皆有書藏廣度綜帙以供搜求

其最大者爲法京巴黎之舊藏計藏二百二十六萬册大則英都倫頓之書藏計藏一百

五十萬册嘉惠士林爲益非歇今宜採其法設藏書處中分中書西書兩類中書調取

殿本及各省官局所刻之書各備全分民間刻本向坊購置西書調取江南製造局全分

其餘新刻本向坊購置別由總教習開列未譯四書擇其精善者令各使臣購寄一分藏

於館中以備隨時譯出

一四人城鎮皆有博物院專門諸學皆有學會咸大集諸器以供試驗今宜采其法設藏器

處令各使臣將諸學新器隨時購庀者送到館俾學生自驗心得非託空言

《知新報》提出了仿效西方國家設立藏書館（圖書館）

還有許多關於澳門學術、文化、社團活動的報道和資料，為推進澳門史與文化的研究提供了不少參考資料。同時，這些資料為研究近代中國新式學堂史、商會史、學會史乃至市民社會史，皆提供了很有價值的研究參考資料。

社會賢達籌建功德林佛學院內設藏經閣

澳門功德林，位於三巴仔街甚為寧靜的街區，始建於民國初年。此座曾為佛教學院的廟宇，創辦了嶺南地區首座女子佛教學院，也帶動了鄰近地區的女子佛學教育事業。學院由觀本法師發起創辦，不少文化名人、僧尼、有識之士、社會賢達參與推動。包括有何東夫人張蓮覺居士、南洋兄弟煙草公司創辦人簡照南家族、印光法師、觀健法師、冶開法師、朝林和尚等等。在二戰期間，功德林又成為文化名人、僧人及比丘尼等避戰和文化交流的平台。著名的虛雲和尚、竺摩法師等曾經在廟宇講課。他們在此學佛論道，在傳播佛教文化的同時，更進行思想交流，產生火花，為澳門積澱了文化。由於寺廟為佛學院，內設有藏經閣，為澳門留下了豐富的文獻遺產。有關文獻具有重要的歷史意義，見證了寺院在澳門、中國內地和一些亞洲國家的佛教教義和意識形態的獨特傳播作用，以及在倡導社會變革和改革，尤其是在推動婦女解放及提升女性地位方面具有重要作用。2016 年，澳門文獻信息學會申報列入聯合國教科文組織亞太區《世界記憶名錄》。

澳門是一座提倡禪宗和淨土宗為法門的正信佛教寺廟，並擁有深厚的文化底蘊。初期主要為慈善女修院，即女眾佛學院。在民國初年，男尊女卑的社會，澳門這塊細小的土地上，能推動以女眾為對象的佛學教育，致力提升女性地位，可充份體現澳門當時社會的進步、開放及包容。佛學院藏經閣中留下了珍貴的文獻，由明末至民國初期之古籍約 2000 種，共 6000 餘冊，大部份是佛教文獻，經、律、論為主，兼具佛學研究、文化藝術、國學、道德倫理、商學、哲學等。其載體形式包括貝葉、線裝紙本、手抄本、縑帛文獻等。據該寺內住持釋戒晟大師表示，這些文獻主

昔日功德林的藏經閣

功德林藏經閣中的古籍

要是佛學社時期的教材，以及學員之參考書。因此寺廟中收集的主要是佛教經書、高等佛學教科書，以及國學書籍。還有不少檔案、名人書畫、照片等。由於寺內近十年來有過多次小規模的修繕和調整，原藏經閣中的典籍亦搬移了數次，但仍然保存良好。

在寺院的一座木櫃內，收藏著珍貴的貝葉經，一直靜靜地安置於寺中多年，珍而重之地保存著，誠為鎮寺之寶。目前所見共有八綑，約兩千多片，每捆外用布包裹，內以繩穿過葉面上的孔，並用木夾板為封面及封底作固定及保護作用，不至於散亂且利於攜帶，此裝幀形式為"梵筴裝"，外側兩面均塗上金漆，全套保存良好。至於年代及具體內容，筆者有幸得到西藏檔案局李天明局長協調，北京大學東方學梵文專家薩爾吉教授幫忙考證，這套貝葉經是緬甸語寫的巴利語佛經，其中包括註釋，刻寫的年代大約為 1800—1890 年間，其中一片貝葉上有緬甸文的題記，上有抄寫年代記錄，經翻譯，得知時間為 1829 年 11 月 4 日，距今約近兩百年歷史。文獻作為歷史的載體，其存在往往與當地社會發展息息相關。據記

藏於澳門功德林的貝葉經

載，觀本法師辦妥功德林事務後，曾遊歷南洋群島，並且參禮緬甸大金塔，更曾留居曼德里時達半年之久，後回來活躍於港澳之間，繼續弘法之路。因此，功德林所藏的貝葉經，與他此行是否有關，實在值得我們進一步考究。

從功德林所藏的珍貴典籍，可探討當時的社會背景。當中還有老照片、信函、手稿、字畫等等，彌足珍貴。值得一提的是，有梁啟超寫給觀本法師的親筆信函、冶開法師的手稿、虛雲和尚授課的照片、竺摩法師的字畫等等。這批佛教典經是澳門的文化遺產，承載了佛教文化，也承載了文明的進程；同時亦反映了澳門宗教文化在近現代史上的傳播與發展，以及澳門與外部世界的交流和聯繫，尤其反映了澳門圖書館得到有識之士推動而得以發展。因此，功德林圖書館所藏，不但是一所寺廟中的佛教典籍，見證著澳門佛學的淵源，而且還通過澳門傳播世界各地。從清末動盪到抗戰時期，有識之士、文化學人在澳門活動，見證了澳門在近現代史上的角色和地位。更重要的是，對有關史料的挖掘和整理，以彰顯澳門的歷史文化內涵，可見澳門多元宗教文化的特色。

抗戰時期廣東學者在澳辦學校設圖書館

抗戰期間，內地及與澳門鄰近的香港都受烽煙戰火之災，生靈塗炭。澳門這個小城由於種種因素，被定性為"中立地"而相對倖免於戰爭禍害。太平洋戰爭爆發後，南洋群島及香港等地相繼淪陷，澳門與外地的水陸交通一度中斷而成為一個"孤島"，令很多人飽受飢餓貧困之苦。然而相對於其他地區，澳門是不幸之中的大幸。正因如此，各方人士紛紛扶老攜幼赴澳暫居以躲避戰事，當中有商人、平民、佛學大師，更不乏有識之士。他們在澳門辦學或復課的同時，也在學校設立圖書館。不少來自廣東的教育家，攜大批書籍來澳，1937—1939 年由內地遷澳的學校便有 17 所，其中不乏名校。

商人何賢先生於 1941 年從廣州來澳，在 1982 年將 3000 餘冊古籍贈送予澳門大學（當時的東亞大學）圖書館，該批書籍主要是他從著名學者汪宗衍先生手中購入其父汪兆鏞先生的藏書。廣州藏書家徐紹棨因戰亂將其收藏珍本百餘箱分送港澳，內容多為粵東先賢作品，最後由於當時他生活所迫，無奈將書沽出以維生。有學者相信該批古籍後被汪兆鏞購入，現在成為澳門大學圖書館的珍藏典籍。

因避戰亂令澳門的文獻資源大多成為澳門一些中小學校的館藏，如 "勵群"、"協和"、"培正" 等。當中也有部份成為私人藏書，或被遺棄流落到 "雜架攤"，目前難以對實際數量作出較準確或全面的搜集和統計。據筆者與澳門教育家劉羨冰校長訪問所知，僅是她想盡辦法救回或幾經轉折 "落戶" 到她手中成為珍藏品的就有百餘本。當中有抗戰時期具有重大歷史價值的文獻。例如毛澤東等著《民族革命之路》，由星星出版社於 1938 年出版，此為《抗戰報告叢書之四》系列；另外，魯迅的《吶喊》、冰心的《寄小讀者》、朱德的《抗日遊擊隊》也是她的收藏品；還有《梁彥明烈士紀念集》、《第八路軍基礎戰術》、《戰略與策略》等等。除此之外，還有一些哲理、學術、文學、近代著名小說等文獻隨知識份子躲避戰亂來澳，成為澳門的文獻資源。據劉校長表示，上述她收藏的文獻中相當大部份已捐贈北京的中國人民抗日戰爭紀念館，成為該館的展品，可見其價值。

澳門圖書館的現代化進程

圖書館引起社會關注

公共圖書館的誕生是人類文明的重要里程碑。它標誌著知識自由和資訊自由意識的啟動。如果說普及教育是社會脫離愚昧的平台，那麼公共圖書館是將這平台擴大的催化劑，更是人類步向文明的台階，它較學校教育更超脫之處是以無償的形式為社會提供服務。誠然，圖書館從以藏為主，供帝王將相、名儒雅士等享用的封閉模式走向開放，藏用並重，面向社會，為公眾服務這一轉變並非平坦之道。從某程度來看，這是向上層社會的一種挑戰。澳門公共圖書館的誕生也經歷過崎嶇不平的道路。由社團發起私人圖書館而引起社會關注，到最終設立了公共圖書館，當中經歷不少曲折，也反映出圖書館事業發展的艱辛。

隨著澳門社會的發展，19 世紀中葉陸續出現了圖書館，例如：崗頂劇院圖書館（1869 年）、澳門人圖書館（1870 年）、澳門陸軍俱樂部圖書館（1873 年）、利宵學校國立圖書館（1893 年）。1873 年 12 月 27 日，當時的澳門總督歐美德（Januário Correia de

早期的慈善社團的圖書館（照片來自澳門耶穌會）

陸毅神父（左站立者）在明愛圖書館為婦女講課（約 1960 年代）

設立在利宵學校的圖書館（1895 年）

Alemeida）通過第 92 號訓令，下令在第 52 期《澳門地捫憲報》（即今天的 "政府公報"）上公佈名為 "澳門圖書館" 的社團組織章程。該團體的宗旨是建立及保持一家私人圖書館，收集國內外書籍，促進會員及捐獻者的教育及娛樂。這標誌著具有現代意義的圖書館雛型已經在澳門誕生。

1894 年，澳門政府決定在利宵學校設立圖書館，初時經費極其有限，每年僅有一百雷依斯（當時的一種貨幣），連基本需要的書籍亦難以購置，引起了社會人士的強烈反響。

當時一份葡文報紙 O Independente（《獨立日報》第 15 冊，1894 年 7 月 14 日第 50 期）有尖銳的評論："只有那麼一點點資金，實在估計不出到底需要多少年才能看到一座令人神往、好處無窮的圖書館的影子。我們期望澳門公共圖書館一成立就能讓我們的兒輩利用，甚至是孫輩、曾孫輩皆可永遠利用。" 該報更號召社會人士捐贈書籍，並協調送到利宵學校的圖書館。與此同時，另一報紙 Echo Macaense（《澳門迴響》1894 年 8 月 8 日）亦作出回應，批評本地區缺乏大眾閱讀風氣，猛烈抨擊澳門在圖書閱覽設備方面之不足，指出“在公共圖書館的建造方面，卻遠不及非常現代化的姐妹城市——香港、上海和天津，而供公眾使用的圖書館，對於民眾的文化進步來説，是不可缺少的輔助性文明機構”。明顯地，該民間聲音道出了圖書館的社會作用，以及反映出社會大眾對圖書館的渴求。

國立圖書館成立

1895 年，澳門國立圖書館成立（即現時的澳門中央圖書館），為澳門公共圖書館事業奠定了重要的基石。1895 年 9 月，澳門總督高士德（Horta e Costa）任命由幾位教師組成的委員會負責編寫國立圖書館的規章，第一任館長是馬德斯‧安東尼奧‧利馬（Matheus António de Lima）。這是澳門公共圖書館正式成立的里程碑。然而圖書館開始時在聖奧古斯丁修道院的一間破舊不堪的房間內運作，四年後的一次統計顯示讀者人數只有 36 人，被閱過的書共有 44 本，主要是文學、語言學、歷史、數學、植物等。

環顧國際社會，隨著人們對圖書館功能的理解和需求，也漸漸對其開放性、文獻流通和利用等認識不斷加深，大眾已不滿足於將圖書館作為單純收藏單位。1913 年，列寧在《對於國民教育能夠做些什麼》一文中，強調了文獻在公眾中廣泛傳播才能實現圖書館目標的理念。而事實上，在當時的澳門，圖書館運作初期一直成為報紙評論的焦點，例如抨擊圖書館設備差、藏書少，指出圖書館不受重視。

1915 年 9 月 12 日的《進步》週報上發表了關於圖書館的報道：

的確，澳門有一個公共圖書館——附屬於利宵的國立圖書館。然而，這種圖書館（……）和沒有並無兩樣。沒有人去光顧，也不能去。因為它除了只有少得可憐的一點書籍——擺放在破舊書架上的一百來本毫無價值的書籍外，還因為它是設在利宵大樓一間牢牢狹小、活動不便的、不通風的房間內（……）。可以得出這樣的結論，這座圖書館或這類

圖書館，儘管取名為國立圖書館，或被稱為公共圖書
館，實際上，它稱不上是圖書館，更談不上是公共圖
書館！……

　　可見，社會已對圖書館有所需求。1917 年至
1923 年間，澳門國立圖書館設於峰景酒店內。1924
年至 1929 年，圖書館又一次搬遷，遷往當時的塔石
的殘疾人收容所。

議事亭藏書樓

　　走在繁華的新馬路，我們步入市政署（原市政
廳、民政總署）大樓。當然不能錯過位於二樓那如中
世紀建築的圖書館了。身處這充滿濃郁書香味和古典
氣息的大樓，再望向窗外車水馬龍喧鬧的大街，雖是
咫尺間，卻仿如站於高山世外笑看凡塵般，有種眾人
皆醉我獨醒的悠然自得。回看歷史，1929 年，市政
廳的元老們讓出了他們豪華的樓層給圖書館，使圖書
館的地位得到確立，一直使用至現在。屬於澳門公共

市政廳圖書館於 1929 年 2 月開始使用，現名為議事亭藏書樓

圖書館系統的議事亭藏書樓（原稱民政總署大樓圖書館）位於議事亭前地，是澳門中央圖書館的前身，也是服務時間最長和館藏價值較高的圖書館之一。據資料顯示，該館以葡國瑪弗拉修道院（Biblioteca do Convento de Mafra）的圖書館為設計藍本，裝潢和家具陳設具有濃厚的古典氣息，被視為當時東方最豪華的圖書館之一。藏書樓專門收藏 17 世紀至 20 世紀中葉的外文古籍，特別是在非洲及遠東的葡萄牙歷史文獻，其中不乏珍品。此外，還有 19 世紀末和 20 世紀初期的葡文報紙，包括中國境內創辦的第一份報紙，也是澳門有史以來第一份報紙，即 1822 年創刊的葡

文報紙《蜜蜂華報》(*A Abelha da China*)。收藏書籍約 20000 冊、現期報紙 38 種、已裝訂逾期報刊 121 種。馬禮遜編著出版的中國第一套英漢字典《華英字典》便是該館的珍藏之一。身處其中，令人有如走進書香聖地般而暫且忘卻凡塵之感。

圖書館進入社會系統

1941 年第 3 期憲報發表的第 697 號立法性法規，規定所有企業、出版社或印刷機構的業主、管理者或經理必須呈送兩冊由他們印刷的各種刊物或書籍給公共圖書館。1952 年 6 月 28 日，當時的葡萄牙海外省部長下令頒佈第 8 號部級立法性法規。根據法規，澳門公共圖書館改名為澳門國立圖書館，因此有權無償接收葡萄牙和各海外省的書刊。到 1962 年，當時市政廳的國立圖書館已有藏書 43336 冊之多。其後，圖書館系統不斷擴展，分置多處，主要分為兩大語系：中文與葡文。一直發展到今天，澳門國立圖書館成為最大的公共圖書館系統。據 1989 年 9 月 25 日

關於公共圖書館的報道（1951 年）

澳門流動圖書館（1986 年）

第 63/89/M 號法令，澳門國立圖書館改名為"中央圖書館"。

　　總的來說，澳門公共圖書館的規模大都是很小型的閱覽室模式，而且遍及社區，各適其適。例如澳門主教府管轄下的高德華公共圖書館（1962 年）、路環圖書館（1983 年）等紛紛成立。在 1850—1980 年約 130 年間，各式各樣的圖書館、閱覽室、藏書樓漸漸形成。由於澳門政府、有識之士、士紳、社團等對圖書館的公共性及重要性有所認識，以及知識份子居澳並引入了西方的學術思想，從不同的側面推動澳門圖書館事業的發展，形成了具有現代意義的圖書館。

　　回歸後，澳門特區政府施政報告中都大力提倡和鼓勵閱讀風氣，對圖書館的發展亦甚為關注。報告強調進一步發展公民教育，不可忽略支援各種藝術創作事業的開展，傳播具有歷史文化價值的澳門旅遊城市形象，促進各種進修及研討活動的活躍，推廣閱讀和寫作的風氣，以及發展多樣化、多選擇的文娛康樂活動等工作。

　　澳門公共的圖書館、圖書室、自修室及閱覽室等

澳門中央圖書館（約 1983 年）

分佈社區。與這座小城一樣，其特點是以細小型閱覽室形式居多，多設在如公園、街市等。以往公立公共圖書館系統又分為多個體系，主要包括澳門文化局、民政總署（現名市政署）和教育暨青年局（現名教育及青年發展局）屬下的圖書館體系。規模最為龐大者為澳門文化局屬下的中央圖書館體系。民政總署屬下圖書館多設於公園及居民生活區內，只提供閱覽服務，不設外借，主要走社區路線（在 2015 年併入文化局的中央圖書館系統，後改名澳門公共圖書館）。教育及青年發展局屬下的公共圖書館有成人教育中心圖書館、教育資源中心圖書館等。一些政府部門的亦有閱覽室、資料室等，然而無論在規模上、館藏種類及數量上都屬小規模。

事實上，回歸以來，澳門幾所較具規模的公共圖書館有著相當程度的轉變，如澳門中央圖書館大規模地增加中文文獻資源，滿足大眾市民的訴求，與回歸前為照顧少數葡萄牙人而大量收藏葡文文獻，忽略中文書籍的做法大相徑庭。公共圖書館亦發揮社區教育的職能，深入市民群體。各類型的圖書館亦在不斷地

圖書館義工在公園向小朋友講故事

兒童在公園圖書館內享受閱讀

求進中，包括：服務多元化、著重對市民的宣傳和教育工作、發展圖書館電子化及網絡化等，極力發揮圖書館的社會職能。與此同時，社會各界對圖書館的需求和重視日益加強。

澳門圖書館的發展除了政府主導，私人或企業家以及熱心人士的捐贈也一直是澳門的特色。例如黃營均基金，便支持當時民政總署的購書和硬件的配置，並配合各社區特色，例如公園、街市設立社區中心或閱覽室，推動各區市民閱讀。社區／公園閱覽室，著重推動社區閱讀。

與此同時，在公園內設置相關的文化、文學講座，以及推動小義工和義工媽媽計劃，更特別注重親子、社區和諧等方面的活動。而圖書的採購方面，以大眾化為主；以往由於資源問題，以藏書為主。現在已經全面為市民提供外借服務。誠然，由於設於公園之內，難免受重建或改道影響。例如，何賢公園圖書館當年因為公園需要重新規劃，而被拆除。

20世紀90年代，社會對圖書館事業的理解也從舊觀念中改變，漸漸明白到它的科學性和專業性。

黃營均先生捐助興建的圖書館設於澳門多個公園內

當年民政總署屬下的何賢公園圖書館（2004 年。2005 年拆除，2009 年重建新館）

路環公共圖書館

因此，澳門圖書館的類型和數量不斷增多。各式各樣的圖書館紛紛湧現。但是大部份圖書館在規模、藏書、管理上沒有明確規範。即便如此，圖書館仍在不斷探索中向前發展，向社會開放的範圍不斷擴大，提供的服務開始多樣化，研究澳門圖書館事業的學者漸增。這時期剛好是世界資訊猛增、科技突飛猛進的時代，澳門各類圖書館紛紛發展電腦自動化系統，建立網頁，購入電子刊物等，向資訊高速公路邁進。這裡需要指出的是，儘管澳門居民中華人佔 90% 以上，但直到回歸前，澳門公共圖書館的藏書仍然以葡文文獻為主。

另外，教青局的公共圖書館共有約 10 所，主要是小型閱覽室、圖書室形式。其目標是以推動社區學習為主，以消閒、綜合性學習的資料為主要館藏。另外也設立專門書庫，因為教育暨青年局屬下各公共圖書館具有本身的任務和特色，例如成人教育、親子教育，或以語言推廣為主等各種專藏。館內分別設有專門書庫或及閱覽室，主要面對青年和大眾。

澳門圖書館與名人

何東圖書館之前世今生

　　位於聖若瑟修院旁的何東圖書館，與修院同樣作為澳門歷史城區一部份，於 2005 年列入了《世界遺產名錄》（文化遺產）。這座集歷史、文化和建築藝術於一身的園林式圖書館，地處磨盤山（崗頂前地 3 號）。該館每天接待各方讀者和遊客甚眾，在這充滿優雅氛圍的別墅閱讀，確是身心享受。然而，當大家在這裡汲取書本智慧和庭院靈氣時，可會追尋這座圖書館的由來和經歷？這座融匯中西文化建築於一身的別墅，建於清光緒二十年（1894 年），原是官也夫人（D. Carolina Cunha）所擁有，曾數易其主。後來，香港富紳何東爵士（1862─1956 年）大概看中這裡環境優美，位處山崗高地，是避暑的好地方。根據澳門政府 1918 年 2 月 27 日物業轉移登記的資料，何東爵士以 16000 大洋向 Eugenia Marques Morgado 購入。何東本名啟東，字曉生，生於香港，是港澳著名的企業家和慈善家。該物業作為他與家人夏天靜休的別墅。二戰期間，太平洋戰爭爆發，香港淪陷，何東爵士與鄰近地區大多數人一樣，為了避戰，選擇在澳門定居。

這位慈善家，不忘造福社會，1955 年，他立下遺囑：捐贈崗頂前地 3 號的物業，建立一所收藏中文書籍的公共圖書館。在那個年代來說，已是極具前瞻性和進步的善舉，關心的是教育和人文素質的社會發展的長遠福祉。1956 年他過身後，其後人遵照遺囑將大樓及 25000 元港幣贈予澳門政府。於是，這座圖書館於 1958 年 8 月 1 日正式使用，初期每週向公眾開放兩天，澳門市民得到了一座自由閱讀而環境優美的圖書館，這也是當時全澳最具規模的中文公共圖書館，藏書約 3000 冊。

這棟別墅高三層，建築融匯中西特色，每層都設有五個拱券式的窗戶，佈局對稱有序，建築通體以黃色粉刷，壁柱、券線、檐口等飾白色線條，大窗的窗框為綠色，屋頂為紅瓦四坡頂。立面每牆設有薄薄的壁柱，是典雅的愛奧尼柱式，愛奧尼柱以氣質高貴見稱，是古希臘時代建築大量採用的，可見圖書館格調雅致。而更令人賞心悅目的是，別墅入口是開闊的前

何東圖書館新大樓

何東圖書館花園環境優雅

庭，並鋪設質樸的石板路，漸漸通向大樓正門，園中高大的綠樹更添愜意，與黃色圍牆、圓拱形的深綠色的大鐵柵門配襯得宜。中間的小庭園有古井，後花園空間廣闊。

何東藏書樓

　　事實上，最初這座圖書館大門上的牌子是 "何東藏書樓" 而非 "圖書館"。我們從澳門耶穌會提供的，約攝於二十世紀五六十年代的照片亦可見，大樓門前，大批老弱、兒童、失明人士在排隊接受澳門明愛救濟，藏書樓的牌子清晰可見。

　　而現時 "何東藏書樓" 設在圖書館的二樓，是澳門館藏 1950 年以前，尤其是明清時期極為珍貴的中文古籍的重地。這裡陳設充滿古典氣息，廳堂佈局高雅，多對楹聯出自名人手筆或贈送，例如有何賢、高可寧、傅德蔭（傅老榕之弟）及多位富商祝賀何東爵士授勳章的對聯："福享金牛年登上壽　酒斟玉帳樂與隣翁"，豪情詩意，似是澳門歷史某個風雲時刻被定格在這清靜的書齋中，即使數十寒暑已過，還有許

何東藏書樓門外，人們在等候明愛的救濟（約 20 世紀中）

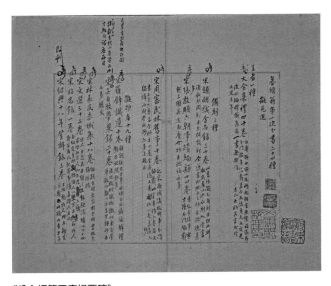

《翁方綱纂四庫提要稿》

多未完的故事。古籍、善本書藏於兩個房間，散發出濃濃的古典書齋的氣味。置身其中，仿如回到從前，清幽而恬淡。

每當人們使用這座圖書館時，專業的導賞員總能琅琅上口地介紹：藏書樓現存放二萬多冊中文古籍；其中，以近代著名藏書家劉承幹"嘉業堂"舊藏的十六種明朝嘉靖年間的中國文史典籍善本最重要，在這十六種善本古籍中，以《翁方綱纂四庫提要稿》最為珍貴，已經在 2010 年由澳門文獻信息學會申報入選第三批《國家珍貴古籍名錄》。講到這套翁氏古籍，不能不提其人，翁方綱是乾隆十七年（1752 年）進士，乾隆三十八年（1773 年）被推薦入"四庫館"參與編纂《四庫全書》至乾隆四十二年（1777 年），又於乾隆五十二年至五十五年（1787 — 1790 年）奉命協助勘誤文淵、文源、文津、文溯四閣抄本。該書是翁氏負責校閱各省收錄圖書時所撰寫的札記以及案語的親筆手稿，當中著錄的圖片有千餘張。

何東夫人推動義學

如今圖書館開放已 60 多年，何東先生後人又贈送其生前的生意賬簿及私人書信，珍藏於此，別具意義。

相信大家對於何東爵士都不會陌生，他家族顯赫，在香港是望族，除了他自身是港澳著名的企業家和慈善家的名氣外，還有與澳門博彩業大亨何鴻燊的叔公與姪孫關係。何鴻燊是何東爵士胞弟何福的孫兒，都是大眾熟悉的富商。而當我們在清幽花園中信步，或掩卷養神之時，不妨追溯，這裡承載的傳奇，還有何東夫人。一段人們忽略了的歷史，同樣值得回味。其實，這座優雅的花園別墅在成為藏書樓或圖書館之前，即 20 世紀 20、30 年代，實際上早已不僅僅是一座私人的別墅，或純粹的住宅。何東夫人即張蓮覺居士（1875—1937 年）早已經利用這裡作為她推動義學、女子佛教的重要園地。20 世紀 20 年代，何東夫人便積極組織佛教活動和女子教育的活動。一方面參與位於三巴仔澳門功德林寺院的興建，她和家人大力捐資，並親力親為投入工作；另一方面，她經常利用這座別墅，推廣教育。她在這座大樓為澳門和香港的女子教學作做了許多的貢獻。

在功德林的舊照片中，可見她組織佛學講座的善舉。當中記載：民國庚午年（1930 年）秋，張蓮覺居士請智光法師於澳門功德林演講大乘起信論開講日攝影。照片中何東夫人端莊優雅，而簇擁著她的約百餘名學員都是婦女及十多歲的女孩們。攝影地就在她位於澳門崗頂的大宅（何東圖書館）前，與功德林非常近。

當我們看到何東夫人與佛教講師在圖書館前留影的照片，不妨也追憶一段她與澳門的插曲。當時，何東夫人有感港澳地區女子社會地位大有必要提升，推動女子教學，獨立自強是長遠之計。因此，在參與澳門功德林興建的女子佛教學院，不但大力捐獻，更邀請佛教高僧為其講課。她與觀本法師，以及各方賢達和佛教界高僧參與組織教學。

何東夫人致力在港澳之間設立講經壇場，禮聘各地著名的佛教講師，如虛雲、竺摩、觀本等宣講佛法。1903 年，她創辦了香港第一所佛教學校 "寶覺

何東夫人請智光法師在功德林講佛後與學員合照（1930 年）

寶覺女義學澳門分校春季開學攝影，何東圖書館前地（1936 年 2 月）

第一義學"。這位篤信佛教的善者，開設的義學主要為扶助貧窮人家的女子，所以課程以實用的珠算、縫紉、編織等為主，旨在使她們能獨立，或協助家庭。後來她又在澳門設立"寶覺第二義學"，相信地點正是在何東圖書館。我們可從另一幀相片尋求佐證，那是攝於 1936 年 2 月，一群婦女站立、一眾女孩們席地而坐，看來已配置了校服，學員都是穿著米白色的長衫，義學也講究儀表。照片這樣說明：寶覺女義學澳門分校春季開學攝影。地點同樣是現時的何東圖書館門前。這座別墅在成為圖書館之前，已經充滿了文化氣息。

當時在澳門開展的義學與香港的公益事業相輔相成。1935 年，何東夫人創辦香港首家女子佛教義學院——東蓮覺苑，與寶覺小學一同建成，現為香港一級歷史建築。

細心比對明愛救濟及何東夫人辦學幾幀相隔 30多年的照片，在同一片空間何東圖書館前地：天主教的明愛服務向弱者救濟傳愛，何東夫人與佛學大師弘法導人向善，以及推動女子義學。可見，這座大宅曾經發揮多元的功能，也體現了澳門小城的多元與包容。

《世界遺產名錄》中的書香

多年來政府多次對何東圖書館進行重修和擴建。1989 年重修後，除了二樓的古籍藏書樓，還有中文書庫、報刊室、澳門資料室、多功能室等等，滿足時代對公共圖書館服務的需求。2002 年文化局決定在後花園興建新大樓，在保存歷史建築物的前提下，擴展為現代化公共圖書館，新舊合璧。2005 年何東圖書館大樓作為澳門歷史城區一部份列入《世界遺產名錄》（文化遺產類），令這座建築增添了光環，同時也吸引了更多的遊客參觀流連，成為澳門的一道文化風景。2006 年新大樓投入服務，樓高五層，共 3000 多平方米，花園佔地逾 1500 平方米，座位可容納 500 讀者，匯集資訊、學習、人文、休憩於一身，當中還有兒童閱覽室、茶座，以及國際標準書號中心。讀者到此充滿歐陸風韻的花園式豪華住宅中閱讀，雖然位於在鬧市之中，卻享受清幽環境和獨處園林之樂。實在感恩先賢的慷慨和遠見。

八角亭圖書館與何賢先生

最初的八角亭不是圖書館

以上談到的何東圖書館已逾 60 載，這讓人想到在鬧市中靜靜地陪伴市民閱讀和生活的八角亭圖書館，同是澳門富紳造福子民的善舉。在澳門相信無人不知這座地處繁忙鬧市中、喧鬧的南灣商業區，風格獨樹一幟的建築，想必已成為許多澳門人的集體回憶，或約會、或相知的文化地標。該館已默默地度過古稀之年，卻依然充滿時代氣息。多年來陪伴著忙碌的上班一族、莘莘學子、或悠閒的旅者，當然，更重要的是，成為市民閱讀和看報的好去處，每天不少老人家在這裡享受健康的文娛生活。然而，這座自成一格的獨特建築，何以在這個黃金之地用作圖書館？背後當然也有其故事，主要得益於澳門富紳何賢先生的一番孝心和善心。

滄海桑田，往事未如煙，追溯 20 世紀 20 年代，八角亭圖書館所在的位置仍是一片靜謐的街區，在南灣花園的花圃中，今天人們大都稱嘉思欄花園。1926

年，由著名的華人則師陳焜培設計，1927 年建成，與不遠處那座西式堡壘的歐戰紀念館相呼應，各顯特色。大概是公園內需要不同風格的建築點綴以及提供康樂之用，初建成的時候，這裡有過類似的用途，如作為茶水部、餐廳、桌球室等等。

八角亭高兩層，因其外形呈八角形而得名，整棟建築飛簷朱欄，形制精巧。王文達先生在《澳門掌故》中就這樣描述以往的南灣花園："當澳門未曾填塞南環之前，本是位於南環海濱之端。一灣淺水，四面矮牆；古榕交蔭，繁花夾道；假山上，塑猴踞石；水池中，作蟒噴泉；音樂台，嘗奏名歌；八角亭，原沽酒水，猴籠鼉澤，時集兒童，鳥語花香，常川遊客。"當中就提到了八角亭所處在公園中的情景，身處在花鳥蟲魚、樹影噴泉之間，環境非常優美。

1932 年，當時澳葡政府進行填海擴路，花園的圍欄被拆除。整個路段重建，八角亭得以保留下來，地處於南灣街與水坑尾街交匯處的路旁。

澳門南灣花園 Macao Public Garden

早期的八角亭上層尚未加建

何賢捐助首家私立公共圖書館

如上所述，澳門在 19 世紀末至 20 世紀初，陸續出現公共圖書館，雖然面向市民開放，但仍不是真正意義上的公共圖書館。而社會也在發出呼聲，對公共圖書館的需求，令澳門士紳也作出了回應。時任澳門中華總商會副理事長的澳門富紳何賢先生，將八角亭全幢購入，捐贈給中華總商會辦書報閱讀室，作為公眾閱書報室，以紀念何母鄧太夫人及梁太夫人兩位母親。同時斥資葡幣 8000 元進行修繕，擴寬上層，令圖書館環境更寬闊，又捐資 3000 元購置圖書雜誌，形成了具相當規模的圖書館。1948 年 11 月 1 日，該館正式啟用，當時的澳督柯維納親自主持剪綵儀式，隆重其事。該館成為澳門最早向市民開放的私立公共中文圖書館，也是澳門當時唯一的中文公共閱書場所。原名 "澳門中華總商會附設閱書報室"，因其八角形的亭形建築，市民稱之為 "八角亭圖書館"，更為親切。圖書館在市中心，一直為市民服務到現在，中西合璧建築風格與其歷史價值，吸引了不少遊客前來參觀。澳門郵政局曾於 2005 年將其作為 "澳門圖書館"的主題郵品內容之一。

八角亭圖書館是現今極少數仍使用杜氏圖書分類法的華人圖書館之一。該館藏書約 20000 冊，尚有約 15000 冊另存澳門中華總商會書庫內。館藏報刊豐富，有 90 多種，以中文為主，尤其保存了澳門早期的 20 世紀 50 年代的報刊。館藏計有早期的《華僑報》、《澳門日報》、《文匯報》、《大公報》、《光明日報》的報紙合訂本。

在圖書館開幕不久，1948 年 11 月 13 日，鑒於街道日益興旺，車輛漸增，而馬路過窄，往來不便，澳門政府特擬在南灣開闢馬路。檔案中有這樣的記錄：該項工程 12 日由建築商區照記承投，並為早日完工，自即日起開工測勘。完成可有馬路數條，計有：(1) 由新馬路直通南灣亞馬留銅像前；(2) 由大廟頂斜路直通至南灣濱海之沙嘉度馬路（Rua de Sacadura Cabral）；(3) 由沙嘉度馬路直通至馬交石，而原有之南灣馬路則由利為旅（酒店）對開處至八角亭前擴寬一倍。

幸好，八角亭圖書館沒有因為馬路改建而受影響。而有意思的是，該館一直保留著傳統，其建築沒有被現代化的設施破壞，不論是色調、設計皆保留原樣。至今沒有安裝冷氣系統，仍使用舊式風扇，所以經常看到窗戶大開，讀者與行人極為接近。即使窗外車水馬龍、喧鬧繁忙，然而咫尺間，市民在此享受閱讀，悠然自得。何賢先生的善舉，惠澤百姓。

Views of Macau

Jardim de São Francisco.
São Francisco Public Garde

昔日的八角亭圖書館（約 1950 年代）

八角亭圖書館成為市民閱報消閒的好地方

位於鬧市中的八角亭圖書館

海量凌空

澳門圖書館與教育事業

學校圖書館啟蒙稚子

澳門中小學內設置的圖書館,是澳門的教育受到重視且日趨普及的體現。現時大部份學校都設有圖書館或圖書室,據資料顯示,澳門的中學、小學及幼稚園圖書館(室)共有近百間,當然規模各異,藏書數量從數千冊到數萬冊不等。較早的中學圖書館是馬禮遜紀念學校圖書館(1835—1839 年)。

有意思的是,此刻我們從寺廟中可尋前人對圖書館的重視。說的是澳門蓮峰廟內的學校,於 1920 年創立,最初為蓮峰男義校,曾經因為經濟問題,得普濟禪院值理會幫助,合力維持,因而得名 "蓮峰普濟小學",主要照顧基層家庭失學兒童。澳門歷史上多所寺廟設有義學,如康真君廟、包公廟、媽閣廟等,目前只有蓮峰廟仍繼續辦學。即便是一所小學,在蓮峰廟內一道與小學相連的窗戶中看到引用唐代詩人張說的詩作為楹聯:"東壁圖書府　西園翰墨林",橫批是 "煥乎有文"。此聯出自《恩制賜食於麗正殿書院宴賦得林字》,其原意是:麗正殿設了書院,成了

蓮峰普濟學校窗戶的
楹聯

鏡湖小學圖書室
（1943 年）

戴維理主教（右一）參觀鮑思高葡文學校圖書館（約 1960 年代）

文人學士聚會賦詩的地方。而橫批出自《論語》，意指堯帝編製曆法的千秋工程，孔子因此稱頌"煥乎其有文章"。可想而知，前人建校時就寄望圖書館發揮興學和育人之能。顧名思義，圖書府就是藏書豐富之所。翰墨林，可見辦學者將藏書樓稱作翰林院之意，也是筆墨之林，說明圖書館內收集優秀文章供學子閱讀。這表達了人們對知識的渴求，以及培養人才的苦心。

回歸初期，筆者到澳門幾所中小學圖書館實地採訪。規模較小的學校圖書室也較小，所藏圖書資料極少，部份圖書分存於各課室。而學校大都積極鼓勵同學閱讀。回歸後教育暨青年局也關注學校圖書館的發展，2004年推出了"學校閱讀優化計劃"，該計劃要求各中小學必須設立圖書館，或增加設施、擴大資源，推動學校閱讀風氣，並予以資助，主要是針對學校優化硬件及軟件設施。同時，參考了鄰近地區的

海星中學譚志清神父圖書館（2003年）

澳門勞工子弟學校圖書館（約 2004 年）

澳門培正中學圖書館（約 2010 年）

學校圖書館,制定指標,如每一中學最少藏書 6000 冊,小學 3000 冊。同時撥款支持改善和提升學校圖書館的設施和服務,推出閱讀計劃。因此,不少學校擴大館舍、增加圖書、購買電腦設備,加強自動化系統發展,同時培訓學校圖書館專業人才,一時間,校園的圖書館有了明顯的發展,也吸引了學生參與。

關於學校圖書館該如何建置,我們不妨從學生的角度去設想他們的需要。由於少年思想世界沒有太大的束縛,對於學校圖書館有特別的期待和構思。例如,早年在澳門勞工子弟學校(現名澳門勞校中學)舉辦的"你,想像中的圖書館"(2010 年)繪畫比賽,從學生想像中的圖書館,可探索少年對圖書館的期望。作品都體現出他們追求自由自在,不受規範的閱讀環境及模式。例如,圖書館中的小讀者大都是趴在地上或書本上、或躺在設計奇特的椅上、或躲進書架內、或坐在舒適的沙發上看書的。學生們心目中的圖書館其實很簡單,就是讓他們享受閱讀,這也挑戰著傳統觀念上那種嚴肅、安靜、規規矩矩的圖書館閱讀方式。作品中所見的圖書館很自然:有在思索著、疑

澳門勞工子弟學校舉辦的"你,想像中的圖書館"繪畫比賽的學生作品(2010年)

惑著、辯論著的讀者；有打呵欠，甚至睡覺的人；除書架、電腦室、小組討論室外，還有 4D 影院、音樂室、自由閱讀區、餐飲區、自助借還書機等；窗外是燦爛的陽光、飛翔的小鳥、茵茵的綠草……他們是從最單純、最真誠的讀者角度來思考。

大專院校圖書館沉澱智慧

大專院校圖書館的任務是密切配合本校專業學科，收集具學術性的資源，保存國內外較高水準的理論著作，強調高層次知識的圖書資源，以及碩士論文和師生研究成果，對象以教職員、學生、研究人員等為主。而澳門的大專院校圖書館，大都向市民開放。

如上所述，耶穌會於 1728 年創辦聖若瑟修院時所設的圖書館仍然存在。而目前正在提供服務的大專院校圖書館包括大學、學院、專科學校等有十多所。回歸過渡期，公務員本地化的順利過渡便成為重要議程，大力推動培訓是後過渡期的重任。因而更多的高等院校成立，圖書館也應運而生。現時澳門高等院校圖書館中以澳門大學圖書館規模最大,其他有澳門科技大學圖書館、澳門理工學院圖書館、澳門旅遊學院圖書館、澳門城市大學圖書館等,成為學術資源的重地。

澳門大學(原澳門東亞大學)圖書館是澳門現代高校最早的,也是目前澳門最具規模的高校圖書館。回望歷史,在 20 世紀 80、90 年代間,該館經歷了多次的搬遷和擴建。我們簡單扼要地回顧:先在 1980 年,澳門東亞大學由 Ricci Island West 有限公司籌備,1981 年 3 月建立。初期校園設在澳門鮑思高中學,作為臨時校舍,同年 9 月亦設立了圖書室供師生使用。11 月,圖書館隨大學搬到氹仔正式校園,初期設於第一座宿舍的地下室。其後在 1982 年 8 月搬到王寬誠樓圖書館大樓,到 1986 年 7 月遷入何賢會議中心(現時的澳門城市大學圖書館),漸具規模。1991 年,東亞大學更名為澳門大學,改組成為公立學府。大學圖書館引入專業人員規劃和管理的理念,開創了澳門圖書館事業專業化的時代,亦是為萌芽中的澳門圖書館事業澆灌施肥,使圖書館事業的土壤漸

位於氹仔舊校址的澳門大學國際圖書館（2010 年）

位於橫琴新校園的澳門大學圖書館

澳門旅遊學院圖書館

漸孕育出圖書館的芽苗。

　　1999 年 9 月，在澳門基金會資助下，澳門大學國際圖書館建成，肯定了圖書館面向國際的重要性。該館高五層，位於寧靜的氹仔小島上，是當時澳門設備最完善、規模最大的圖書館。與澳門大部份的高校圖書館一樣，它同樣承擔社會責任，向公眾開放。後來改名為澳門大學圖書館。在背山面海的優美環境下，斜陽映照，閉目掩卷，伶仃洋的景致仍縈迴於腦海中，人性化的佈局和服務方式尤其使人感覺自如。2014 年 7 月，隨著澳門大學遷往現址橫琴新校園，澳門大學圖書館於投入現時樓高七層的伍宜孫圖書館大樓，館址地處校園中央，四周湖景環繞，是大學的標誌性建築。

　　事實上，隨著澳門高等教育的普及，大專院校圖書館亦陸續出現。例如 1989 年保安高校圖書館建立；澳門理工學院圖書館於 1991 年投入使用，現時除主館外，也設有收藏澳門書畫名家林近先生所捐贈之珍藏圖書的 "懷遠樓林近藏書館"，以及博彩教學暨研究中心圖書館。澳門科技大學成立於 2000 年，設有行政與管理學院、國際旅遊學院、法學院、資訊科技學院、人文藝術學院、中醫藥學院和健康科學學院等。澳門科技大學圖書館開展地圖項目，搜集全球地圖中的澳門資料，整理了大量歷史的澳門地圖，並在網上公開。

各院校圖書館開展文獻傳遞服務，與內地、台灣、香港簽署了合作協議，並舉辦學術研討會、書展等活動。其他學院圖書館已進入現代化新里程，如旅遊學院圖書館、澳門城市大學圖書館、澳門鏡湖護理學院圖書館等。其實澳門不少高校圖書館也向公眾開放，市民可以享受閱覽服務。圖書館亦提供各種宣傳推廣以及教育服務、舉辦培訓課程，以及各種學術交流活動，成為知識的殿堂。

澳門圖書館與國際組織

國際組織寄存館

澳門作為一個自由和對外開放的小城，由於歷史上的原因，與外部世界有著廣泛和多方面、多層次、多角度的聯繫。澳門與國際組織的關係從它所簽署的多邊協定可見一斑。截至 2016 年，適用於澳門的多邊國際公約共計 607 項，涵蓋外交與國防、民航、海關、經濟金融、教育科技文化與體育、海事等方面。

這本來與圖書館沒有直接的關係，然而這小城的圖書館裡，已經與十多個權威國際組織建立了寄存館關係，即是通過簽署備忘錄，免費獲得珍貴而及時的國際組織文獻，突顯了澳門國際城市的特色。昔日的國際組織文獻中心設在澳門大學圖書館，藏書約萬餘種，期刊約逾百種，還有網絡數據庫，開發了澳門地區權威的學術文獻資源，成為鄰近地區最大的國際組織寄存館，滿足了學者研究之需。

國際組織是國際關係發展到一定歷史階段的產物，是基於國家或地區之間往來和國際政治、經濟關係的日益發展而產生的。每個組織因其工作領域、政策、方針而出版各具特色之文獻。不少國際組織在世界各地選定寄存圖書館，贈送出版刊物。澳門發展的國際組織文獻館藏，便是一個提高學術和權威文獻素質資訊、拓寬資源的管道。

表 1 澳門國際組織寄存文獻發展

國際組織	在澳門建立寄存館（年份）
歐盟（EU）歐洲文獻中心	1992
聯合國（UN）	1992
世界貿易組織（WTO）	1994
國際勞工組織（ILO）	1994
世界糧食計劃署（WFP）	1995
世界銀行（WB）	1995
亞洲開發銀行（ADB）	1998
亞太經濟合作組織（APEC）	1998
北大西洋公約組織（NATO）	1999
聯合國社會發展研究所（UNRISD）	2000
其他非正式寄存組織： （糧農組織、世界衛生組織、環保署、聯合國大學、經濟合作組織、世界知識產權組織、聯合國教科文組織）	1992-

　　國際組織文獻的主要特色在於學術性強、具有權威性、時效性高、文獻載體周全、具有延續性，同時部份資料往往不易取得。

　　澳門是一個社會思想和學術文化相對自由及多樣化的地區，國際組織寄存館制度在澳門的實行，正是澳門文獻資源多元文化的體現，對本地文獻資源開發和對外交流皆有著重要的意義。這一方面增加了澳門權威文獻資源，提高了社會的科研能力的支援。同時，在節省購書經費和人力資源的前提下豐富了澳門地區的文獻資源。更深一層的含義是，透過與國際組織的交流及聯繫，可令更多國家及人士對澳門增加了解，在國際上推廣澳門。這樣，對面向國際的澳門來說有著重要的意義，是文獻傳播交流過程中所衍生的效益。這彈丸之地能獲得多個國際組織的權威文獻，主要因為澳門是一個非常特殊的地區，在國際上佔有一定的地位而受到國際的關注。

　　從這些資源在圖書館的建立，可見學術研究領域範圍的擴大，對國際權威及標準的比較，對外部世界的認知需求，政府和民間各種活動所需的資訊等等，這些因素刺激了國際組織文獻資源的產生。另外，澳門與外部世界的聯繫歷史悠久，它所處的地位以及它所具有的傳播文獻及宣傳國際組織的條件，也是得到

國際組織文獻寄存館（昔日位於氹仔校區的澳門大學圖書館）

國際的重視和投資的因素。這是國際組織文獻資源產生的規律性之一，與該地區自身所具備的國際地位和國際關係、社會需求等因素有著密切的關係。

聯合國教科文組織（UNESCO）世界記憶學術中心

在全球急速發展的步伐下，人們已強烈地意識到保護及傳承文化刻不容緩，自 20 世紀 70 年代至今，聯合國教科文組織已發起了多項世界性的歷史文化保護工程及設立相關的名錄。先是 1972 年的《世界遺產名錄》，旨在保護自然及文化遺產；其後在 1992 年啟動了以關注文獻為主的《世界記憶名錄》；2003 年推出《非物質文化遺產名錄》，目的是喚起人們對各種傳統文化習俗的重視。澳門作為中國對外開放最早的城市，與內地及海外有著廣泛的接觸和聯繫，擁有深厚的文化底蘊，自 16 世紀以來，澳門一直是連接中國與西方的橋樑，因而遺存的歷史資源具有獨特的普世價值，深厚的文化價值獲得國際社會的肯定。

彈丸之地的澳門，保留的各類文化項目與聯合國教科文組織的三項遺產名錄相關。

世界記憶工程（Memory of the World, MoW）主要關注文獻遺產，如手稿、圖書館和檔案館保存的任何介質的珍貴檔案以及口述歷史的記錄。具體而言，旨在對世界範圍內正在逐漸老化、損毀、消失的人類記錄進行搶救和保護，同時對世界遺產和非物質文化遺產項目進行記錄和著錄，從而使人類的記憶更加完整。

2016 年，得到國家檔案局的支持，聯合國教科文組織世界記憶工程教育與研究分委會（SCEaR）經過多番考量，決定在澳門城市大學圖書館設立 "澳門世界記憶學術中心"（Memory of the World Knowledge Centre—Macau），中心由澳門城市大學與澳門文獻信息學會合作營運。作為全球首個同類中心，其主要目的是推動澳門歷史遺產的教育與研究、文獻資源保護和利用的深度認識，加強本地與國際社會的交流聯繫。同時，中心提供以文獻檔案研究及教育為目的之交流和學術合作活動，並作為本地及鄰近地區與聯合國教科文組織世界記憶工程的橋樑。

按照協議，中心職能主要支持世界記憶工程，重點保存教育及科研等領域的文獻，例如典藏與世界記憶工程相關的各類型文獻（印刷刊物及電子資料，包括準則、書籍、小冊子等等），以及有關世界記憶工程的工作、名錄申報、項目及歷史文獻；全面保存"澳門記憶"項目資料以及亞洲和太平洋地區文化遺產文獻；另外，提供世界記憶工程文獻資訊檢索（印刷刊物和多媒體資料），長遠規劃世界記憶工程書目資料庫；舉辦世界記憶工程相關課題的活動（如研討會、會議、專題辯論、書本和網站發佈會等），與世界各地教育界及機構（檔案館、圖書館、博物館）合作推動世界記憶工程，從而提供保育、修復、文獻數碼化的政策和措施，作為全球研究夥伴參考的最佳實踐範例；中心的館藏及工作也將致力於探索與聯合國教科文組織的世界遺產（WH），包括文化遺產和自然遺產，以及非物質文化遺產（ICH）計劃的協同作用，以提供堅實的基礎。由此可見，澳門與圖書館事業與國際社會關係密切。

表 2 全球各地設立的聯合國教科文組織世界記憶學術中心

序號	中心設立之地（機構）	設立時間
1	澳門（澳門城市大學）	2016 年 11 月 21 日
2	北京（中國人民大學）	2017 年 7 月 11 日
3	韓國光州（韓國研究中心）	2018 年 6 月 1 日
4	福州（福建省檔案館）	2018 年 11 月 6 日
5	蘇州（蘇州檔案館）	2018 年 11 月 10 日
6	象牙海岸（象牙海岸虛擬大學）	2020 年 11 月 24 日
7	墨西哥（比斯凱納斯學校歷史檔案館）	2021 年 2 月 26 日

澳門世界記憶學術中心設於澳門城市大學（2016 年）

結語

　　經歷過數百年的發展，澳門已形成各類型的圖書館。主要分類為：公共圖書館、大學及專科學校圖書館、專門圖書館，以及中小學圖書館。澳門的專門圖書館主要來自社團、私人、政府部門、醫院等多個體系，而且涵蓋的門類甚廣。宗教類的有：澳門主教公署圖書館、佛學圖書館、澳門基督教會宣道堂圖書館、耶穌會圖書館等；藝術類的有：藝穗圖書館；經濟類的有：經濟司圖書館、財政局資訊彙編中心、銀行資料室等；法律類的有：立法會圖書館、法務局圖書館、初級法院圖書館等；海事類的有：海事博物館圖書館；還有醫學類、教育類等等，可謂多元豐富。

　　簡單總結澳門開埠以來圖書館的經歷，可以分為四個主要的歷史時期：第一時期是孕育期，約由1553年至1850年，涵蓋了近300年頗為漫長的歲月，此時期的圖書館主要由於西方傳教士東來傳教，在澳門辦學而展開;第二時期是萌芽期,約由 1851 年至 1980 年,由於社會各界漸漸意識到圖書館的價值,公共圖書館亦開始出現,產生了具現代意義的圖書館雛形;第三個時期是幼苗期,約從 20 世紀 80 年代至回歸前,此 20 年間澳門在經濟、政治、教育等領域都發生了歷史性的變化,因此促使剛萌芽的圖書館事業在不斷探索中前進;第四時期是成長期,由 1999 年到現在,此乃回歸後的新時期,圖書館事業被視為支持教育的重要基石,其現代意義的職能漸漸被社會肯定並加以重視。在各個歷史時期,圖書館的發展節奏在蜿蜒中加速,雖然經歷高低起伏以及種種困難。發展至今,已形成了相對成熟的系統,例如大專院校圖書館、中小學圖書館、專門圖書館,以及公共圖書館,並且根據各自的宗旨和目標開展活動。回首澳門數百年滄桑歲月,圖書館亦隨時代步伐走過漫漫長路,才擁有現時這種開放的氛圍,以及深入社區的服務。這座文化殿堂,曾經輝煌,也經歷坎坷,隨著歷史洪流形成今天中西文化共融的特色。

澳門圖書館事業,從宗教活動起,隨著社會前進的步伐,有如溪流般蜿蜒曲折地前進,直至今天,已對社會的經濟文化起到一定的作用。在這小城裡,圖書館可貴之處在於深入社區,讓人感覺親切,閱讀自然也成為一種享受。

期望新的大型中央圖書館盡快落成,作為澳門的文化地標和治學殿堂,它的可持續發展以及具前瞻性的觸覺和規劃也重要,尤其是整合分散的資源,建立功能強大的澳門圖書館網絡系統將是長遠目標。

總之,如果圖書館能令關心政治或侈談玄遠虛清老莊思想的人尋到思考的源泉;讓學生懂得利用資源自學、小市民自若進出閱讀、學者在此研究發明、官員從中掌握世界信息等等將是我們所期望的!

參考文獻

1. 《盛世危言》導讀，URL:http://liulangmao.com/bbs/read.php?tid=6080。

2. 《澳門中央圖書館館訊》，2004 年第 9 期。

3. 1594 年 11 月 9 日范禮安在澳門寫給耶穌會總會長的信，轉引自高瀨泓一郎的《キリシタン時代の文化と諸相》。

4. Braga, J.M. *The beginnings of printing at Macao.* Macau: Biblioteca Nacional Macau.1963.

5. Newsletter: Hong Kong Library Association. URL:http://www.hklib.org.hk/april04.pdf.

6. 王酉梅：《中國圖書館發展史》，吉林：教育出版社，1991 年。

7. 多明古斯（Domingos，M.G.S）：《澳門·遠東西方的第一所大學》，澳門：澳門大學，澳門基金會，1994 年。

8. 吳志良、楊允中主編:《澳門百科全書》,澳門:澳門基金會,2005 年。

9. 林家駿:《澳門教區歷史掌故文摘》,澳門:澳門天主教教務行政處,1979 年。

10. 施白蒂著,小雨譯:《澳門編年史》(澳門譯叢),澳門:澳門基金會,1995 年。

11. 費賴之:《入華耶穌會士列傳》,香港:商務印書館,1938 年。

12. 楊開荊、趙新力:《澳門圖書館的系統研究》,廣州:廣東人民出版社,2006 年。

13. 楊開荊:《澳門特色文獻資源研究》,北京:北京大學出版社,2003 年。

14. 圖書館事業發展白黃皮書用語釋義,URL:http://lac.ncl.edu.tw/06/info/13.htm

15. 劉羨冰:《世紀留痕:二十世紀澳門教育大事志》,澳門:澳門出版協會,2002 年。

16. 歐卓志(Arrima, Jorge de Abreu):《澳門中央圖書館》,澳門:澳門文化司署,1992 年。

17. 歐卓志(Arrima, Jorge de Abreu)著,喻慧娟譯:

《澳門中央圖書館百年歷史》，《文化雜誌》，1995
年第 22 期。

18. 澳門基金會、上海社會科學院出版社編：《知新
報》影印版，上海：上海社會科學院出版社，
2000 年。

19. 澳門圖書館暨資訊管理協會：《澳門圖書館名錄
2004》，澳門：澳門基金會，2004 年。

20. 廖澤雲主編，許世元、馮志強副主編：《鏡湖薈萃
圖片集》，澳門：澳門鏡湖醫院慈善會，2013 年。

21. 李鐵城編：《聯合國的歷程》，北京：北京語言學
院出版社，1993 年。

圖片出處

P.15 檔案藏於澳門主教公署。

P.18 圖片藏於聖若瑟修院。

P.33 圖片來自聖若瑟修院。

P.51 圖片來自澳門中央圖書館。

P.59 圖片來自中山大學圖書館。

P.70 照片來自澳門耶穌會。

P.70 照片來自澳門耶穌會。

P.71 照片來自澳門中央圖書館。

P.78 圖片由澳門中央圖書館提供。

P.78 圖片由澳門中央圖書館提供。

P.80 圖片由澳門中央圖書館提供。

P.91 圖片由澳門中央圖書館提供。

P.93 照片來自澳門耶穌會。

P.93 圖片由澳門中央圖書館提供。

P.97 照片來自澳門功德林。

P.97　圖片來自香港東蓮覺苑網站。

P.102　圖片來自《19—20 世紀明信片中的澳門》。

P.106　圖片來自《19—20 世紀明信片中的澳門》。

P.110　圖片來自《鏡湖薈萃圖片集》。

P.111　圖片來自澳門耶穌會。

P.112　圖片來自澳門海星中學網頁。

其餘圖片均由本書作者提供。